海外漢文古醫籍精選叢書·第三輯

2011—2020年國家古籍整理出版規劃項目

2018年度國家古籍整理出版專項經費資助項目

中國中醫科學院「十三五」第一批重點領域科研項目

——我國與「一帶一路」九國醫藥交流史研究（ZZ10-011-1）

蕭永芝◎主編

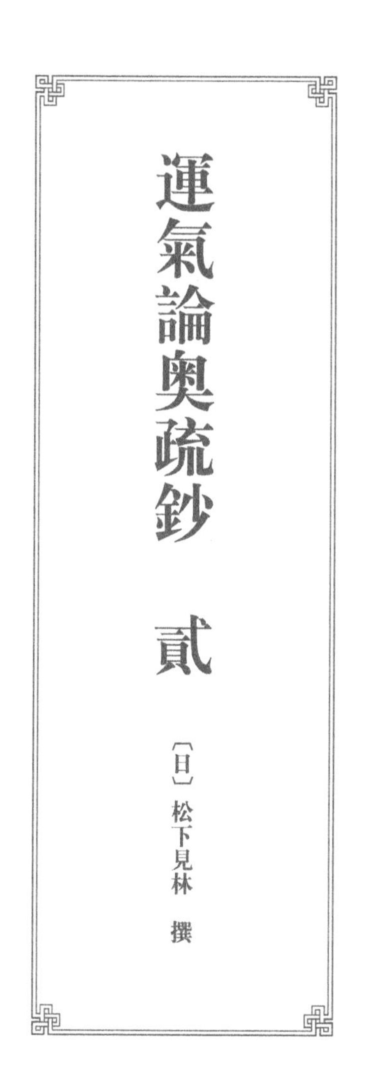

運氣論奧疏鈔 貳

〔日〕松下見林 撰

2

北京科学技术出版社

海外漢文古醫籍精選叢書・第三輯

運氣論奧疏鈔 貳

〔日〕松下見林 撰

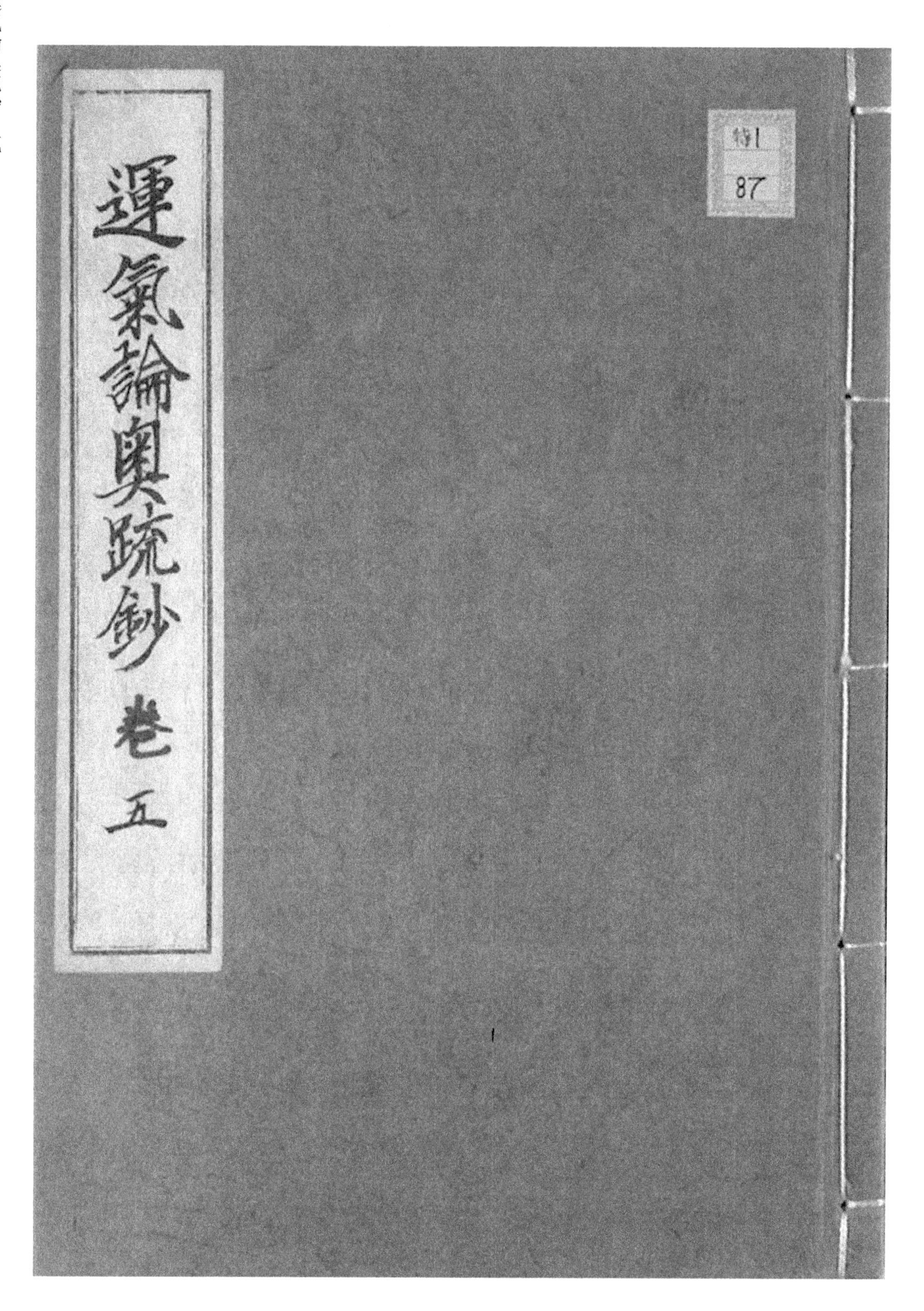
運氣論奧疏鈔　卷五
特1
87

27. 3. 15

運氣論奧疏鈔　卷五
五
特1
87

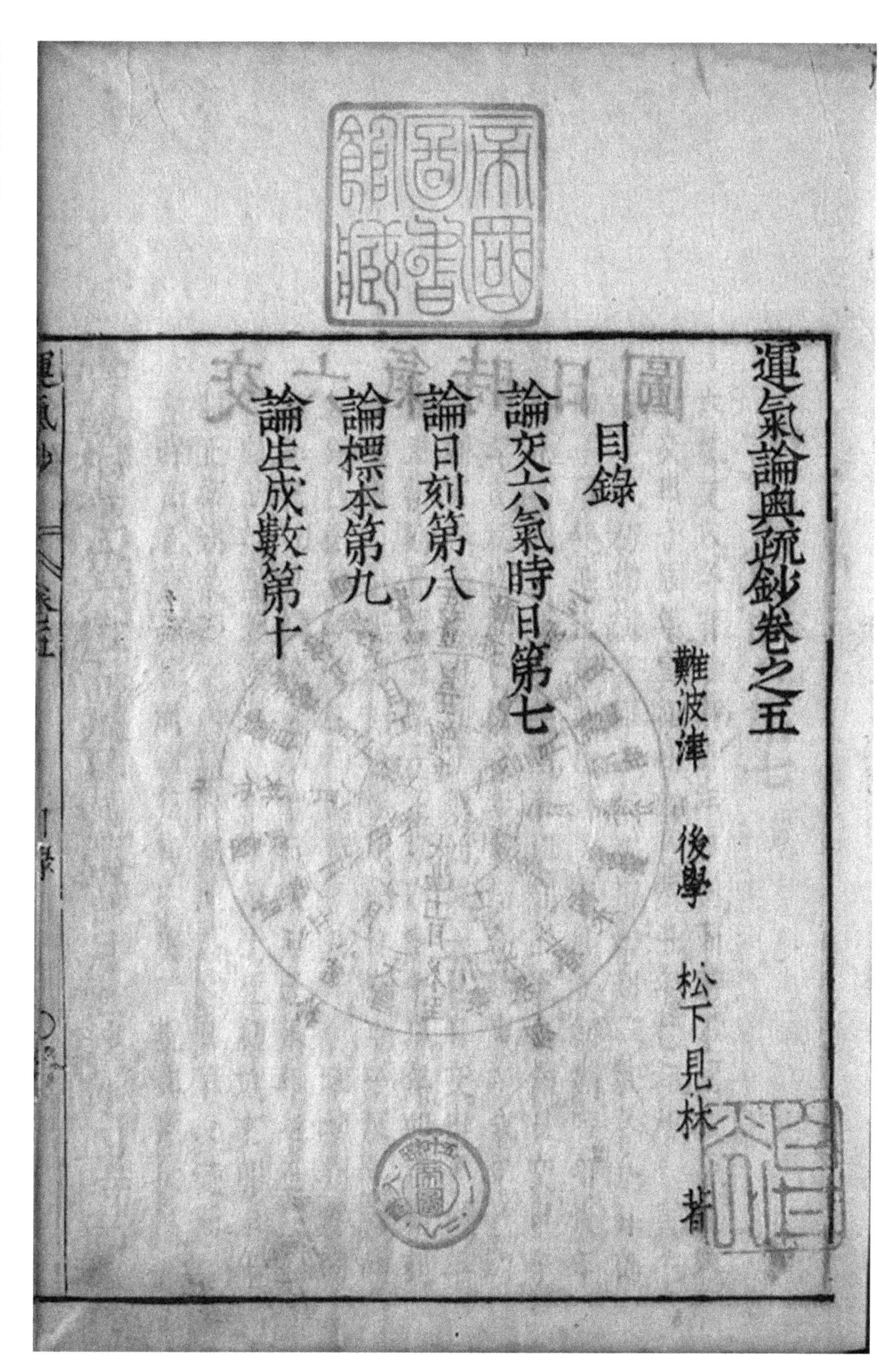

運氣論奧疏鈔卷之五

難波津　後學　松下見林　著

目錄

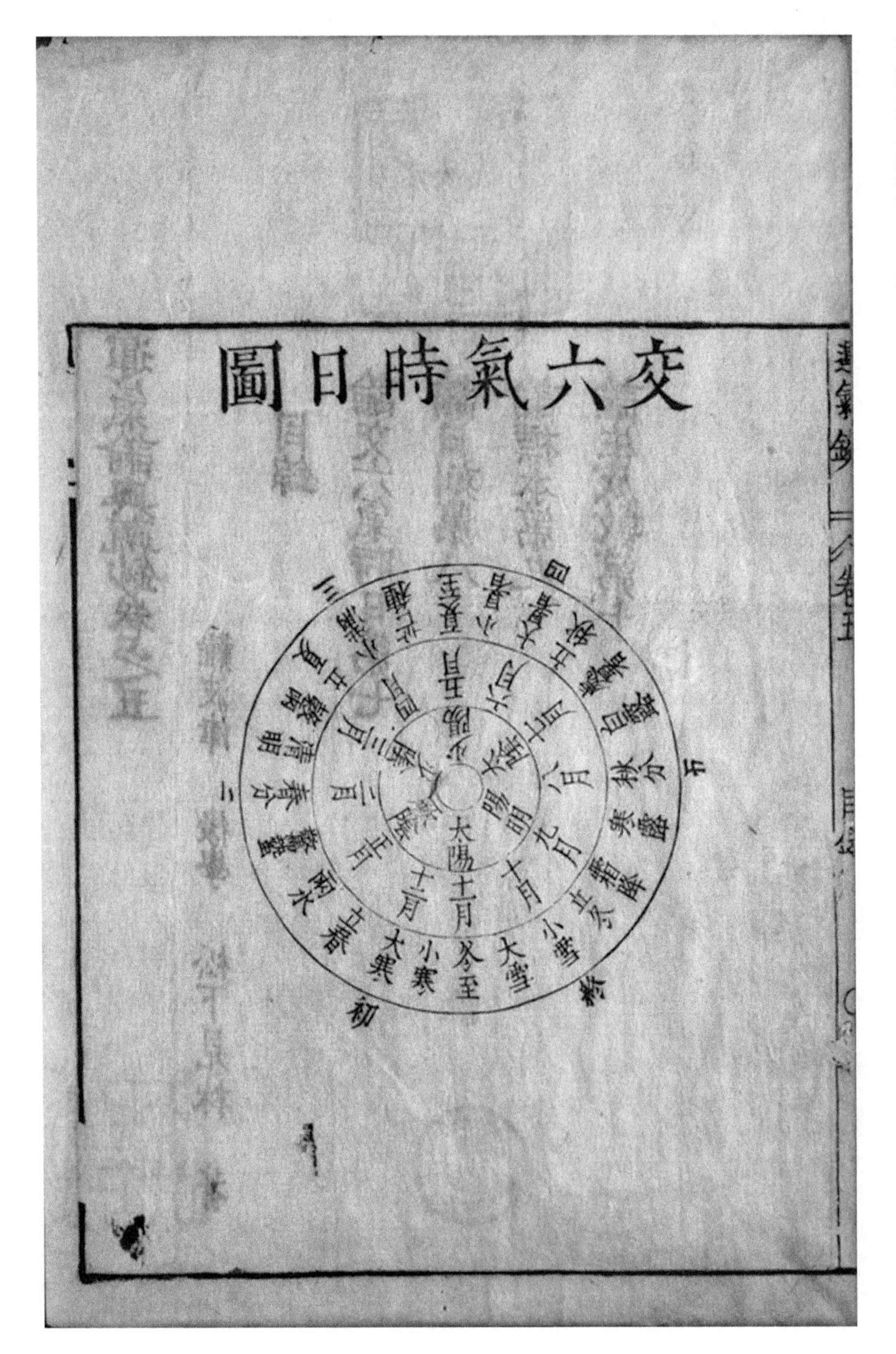
交六氣時日圖
初
二
三
四
五
終
大寒
小寒
冬至
大雪
小雪
立冬
霜降
寒露
秋分
立春
雨水
驚蟄
春分
清明
穀雨
立夏
十一月
十二月
正月
二月
三月
太陽
厥陰

論交六氣時日第七

六氣交入各有日時每年日同而時不同初氣大寒日交申子辰年寅初初刻巳酉丑年巳初初刻寅午戌年申初初刻亥卯未年亥初初刻二氣春分日交申子辰年子正初刻巳酉丑年卯正初刻寅午戌年午正初刻亥卯未年酉正初刻三氣小滿日交申子辰年亥初初刻巳酉丑年寅初初刻寅午戌年巳初初刻亥卯未年申初初刻四氣大暑日交申子辰年酉正初刻巳酉丑年子正初刻寅午戌年卯正初刻亥卯未年午正初刻五氣秋分日交申子辰年申初初刻巳酉丑年亥初初刻寅午戌年寅初初刻亥卯未年巳初初刻終氣小雪日交申子辰年午正初刻巳酉丑年酉正初刻寅午戌年子正初刻亥卯未年卯正初刻故曰交六氣時日此篇論日不及時而言時日者蓋論日則時在其中矣時說粗見後篇

陰陽相遘分六位而寒暑弛張日月推移運四時而氣

令更變陰陽△三陰三陽也○遘△王篇古候切過也
○六位△六微旨大論帝曰願聞地理之應六
節氣位張註節主氣之靜而守位者也故曰六位亦
曰六步乃六氣所主之位也○寒暑弛張△天元紀
大論曰幽顯既位寒暑弛張張註弛張往來也○推
移△文選十六潘安仁寡婦賦曰曜靈曄而遄邁
四節逝而推移翰曰推移不停也△同四十六王元
長三月三日曲水詩序曰蕙肴芳醴任激水而推移
良曰推移猶循行也○
氣令△六氣之化令

故經曰顯明之右君火之位顯明謂之日即卯位也君
火之右退行一步相火治之復行一步土氣治之復行
一步金氣治之復行一步水氣治之復行一步木氣治
之者乃六氣之主位也經△素問六微旨大論○顯明
之右君火之位△張註顯明者

日出之所卯正之中天地平分之處也顯明之右謂斗建卯中以至巳中步居東南爲天之右間主二之氣乃春分後六十日有奇君火治令之位也若客氣以相火加於此是謂以下臨上臣位君則逆矣○顯明謂之日即卯位也△溫舒釋顯明之辭△王注日出謂之顯明則卯地○君火之右退行一步相火治之△張註退行一步謂退於君火之右一步也此自斗建巳中以至未中步居正南位直司天主三之氣乃小滿後六十日有奇相火之治令也△運氣易覽治主也○復行一步土氣治之△張註復行一步謂於相火之右又行一步也此自未中以至酉中步居西南爲天之左間主四之氣乃大暑後六十日有奇濕土治令之位也○復行一步金氣治之△張註此於土氣之右又行一步自酉中以至亥中步居西北爲地之右間主五之氣乃秋分後六十日有奇燥金治令之位也○復行一步水氣治之△張註此於金氣之右又行一步自亥中以至丑中步居正北位當在泉主終之氣乃小雪後六十日有奇寒水之治令

也○復行一步木氣治之△張註此於水氣之右文行一步自丑中以至卯中步居東北為地之左間主初之氣乃大寒後六十日有奇風木治令之位也○乃六氣之主位也△此亦溫舒釋經文之辭△馬註君火其運周歲相火代之不主歲也故餘皆曰復行惟君火曰退行△醫學綱目四十九此六步治令之時各行本方之氣入於中國故木於東方治令時春氣西行而中國皆東方溫氣與泉左間所居之氣也君相於南方治令時夏氣北行而中國皆南方熱氣與天右間所居之氣也金於西方治令時秋氣東行而中國皆西方涼氣與天左間所居之氣也水於北方治令時冬氣南行而中國皆北方寒氣與泉右間所居之氣也

自十二月中氣大寒日交木之初氣次至二月中氣春分日交君火之二氣次至四月中氣小滿日交相火之

三氣次至六月中氣大暑日交至之四氣次至八月中氣秋分日交金之五氣次至十月中氣小雪日交水之六氣此言六氣之交月也

每氣各主六十日八十七刻半總之乃三百六十五日二十五刻共周一歲也八十七刻半△八十刻之外又七刻半也半者六十分之半三十分六微旨大論王氏註以為十分刻之五者是也以一時八刻二十分為時刻除之八十七刻半則十時四刻一十分也◎總△廣韻合也◎之△謂六氣日刻

若歲外之餘及小月之日則不及也若△運氣易覽曰若字作除理似順也◎歲外之餘△運氣易覽餘者于三百六十五日除去五日為餘◎小月之日△運氣易覽曰小月有

六日亦除之○不及△運氣易覧曰除剩餘日五日又除小月六日共除十一日止有三百五十四日不及三百六十五日也△四時氣候曰本三百六十五日四分度之一即二十五刻當為一歲自除歲外之餘則有三百六十日又除小月所少之日六日止有三百五十四日而成一歲通少十一日二十五刻乃盈

閏

但推之曆日依節令交氣

曆日△言曆△太上隱者答人詩山中無曆日寒盡不知年見唐詩訓解△讀書續錄八因看曆日曰乾元亨利貞之道皆具于此矣○節令△節氣也當時施氣令故曰節令醫學入門無令字此所指節令者太寒春分小滿太暑秋分小雪之六節也△此言交氣之日如太寒初氣交春分二氣交從節所在而推之然節之入日年年不同故看曆日按某日某節入九曆家之術求節氣布筭者定日　本朝行曆世不同自清和天皇貞觀元年渤海國獻長慶宣明曆到于今

用之其所推步賀茂氏稱爲無毫差

此乃地之陰陽所謂靜而守位者也常爲每歲之主氣寒暑燥濕風火者乃六氣之常紀此乃之乃運氣易覧作謂○所謂△素問脉解篇馬註篇內曰所謂者正以古有是語而今述之也○靜而守位△此語素問天元紀大論有之△張註靜而守位以地承天而地支不動也△圖翼主氣圖解曰主氣者地氣也在地成形靜而守位謂木火土金水分主四時而司地化以爲春夏秋冬歲之常令者是也○常爲每歲之主氣寒暑燥濕風火者△運氣易覧作常爲每歲燥濕寒暑風火之主氣○常紀△不易之綱紀也

氣應之不同者又有天之陰陽所謂動而不息自司天在泉左右四間是也輪行而居其上名之曰客氣此言主氣

之外有客氣也○氣應之不同△下卷言六十年客
氣篇曰客行天令居於主氣之上故有溫涼寒暑矇
腹明晦風雨霜雪雹雷霆不同之化其春溫夏暑
秋涼冬寒四時之正令豈能全為運與氣所奪則當
其時自有微甚之變矣○動而不息△此又天元紀
大論之文△張註動而不息以天加地而六甲周旋
也△圖翼客氣圖解曰客氣者天氣也在天為氣動
而不息乃為天之陰陽分司天在泉左右四間之六
氣者是也○自△自字似行○輪行而
居其上△運氣易覽作輪居主氣之上

客氣乃行歲中之天命天命所至則又有寒暑燥濕風
火之化天命△中庸曰天命之謂性章句命猶令也大
全朱子曰命猶誥勑○又△又字對主氣而言
△運氣易覽曰客氣亦有寒暑燥濕風火之化△客
氣居於主氣之上行天令有寒暑燥濕風火等不同
之化詳見素問六元正紀大論
及本書六十年客氣旁通圖

主氣則當祇奉客之天命祇奉△書大禹謨曰祇承于帝蔡註祇敬也△說文奉承也△言客行天命而主爲之下無逆主氣當如是乃奉天之命也

客勝則從主勝則逆二者有勝而無復矣客勝則從主勝則逆△至真要大論帝曰其逆從何如岐伯曰主勝逆客勝從天之道也張註客行天令運動不息主守其位祇奉天命者也主勝客則違天之命而天氣不行故爲逆客勝主則以上臨下而政令乃布故爲從○二者有勝而無復△二者謂主氣客氣△至眞要大論帝曰客主之勝復奈何岐伯曰客主之氣勝而無復也張註客者天地之六氣主者四時之六步客氣動而變主氣靜而常氣強則勝時去則已故但以盛衰捐勝而無復也△客主之氣有勝其生病則異其治法各有所主詳見至眞要大論

日刻之圖
寅午戌
亥卯未
申子辰
巳酉丑

日刻之圖△運氣易覽作六十年交氣日刻圖最好
△又易覽曰圖自寅順觀至子爲甲子歲初氣子至
戌爲二氣自亥至酉爲三氣酉至未爲四氣自申至
午爲五氣午至辰爲六氣自巳至卯起乙丑歲初氣
餘歲繼此推之則氣起同刻三歲相合義自見矣然
晝夜百刻當分筭于十二時每一時該八刻零二十
分△愚按此圖大抵內圈紀年外圈紀交氣時刻斟
酌之以四隅之卦假令甲子辰年則以內圈甲子辰
貼外圈艮漏水下一刻上乃初氣始於水下一刻直
太寒寅之初初刻右遷終於六十日後八十七刻半
直春分子之初四刻二氣繼初氣而始於八十七刻
六分直子之正初刻又加二氣之六十自八十七刻
半則當終於七十五刻直小滿戌之正四刻餘氣之
始終刻數率皆此例也巳酉丑年則初氣繼申子辰
終氣而始於二十六刻直太寒巳之初初刻又加初
氣之六十日八十七刻半則當終於十二刻半直春
分卯之初四刻圖中省略無所繼之刻數若巳酉丑
年則以巳酉丑貼巽上然所謂二十五刻者申子辰

終氣之刻數而非巳酉丑所繼於之刻數也餘氣皆然寅午戌亥卯未每氣刻數之不備亦復如是刻數詳義見圖翼二卷六十年歲氣三合會同等圖在辨證中卷

論日刻第八

日刻△運氣易覽亦作六十年交氣日刻△此篇依六微旨大論以紀交氣日時之刻數故曰日刻運氣易覽首題甚為好

夫日一晝一夜十二時當均分於一日故上古聖人設銅壺貯水漏下浮箭箭分百刻以度之雖日月晦明終不能逃是以一日之中有百刻之候也均△廣韻平也○上智△黃帝也△事物紀原一正朔曆數部刻漏梁刻漏經曰肇於軒轅之日宣乎夏商之代至周挈壺氏掌之△三才圖會曰

黃帝創漏水制器以分晝夜○銅壺△其制古今不同古制有夜天池日天池平壺萬分壺四匱又有水海水中浮箭令制有上匱下匱其間爲渴烏引水又有石壺壺中有蓮心下匱與石壺之間亦有渴烏下匱水下注蓮心圖見三才圖會星宗大全等書在辨證中卷又按理數日鈔載古制蓮漏圖爲銅壺滴漏晝夜百刻圖然則古制以銅作之者與○漏下浮箭△後漢書律歷志下孔壺爲漏浮箭爲刻下漏數刻以考中星昏明生焉△漏下壺中水泄出也△箭漏箭一曰更籌△周禮二十八夏官司馬挈壺氏釋文曰以器盛四十八箭箭各百刻以壺盛水懸箭於上節而下之水水淹一刻則爲一刻四十八箭者蓋取倍二十四氣也△詩小序大全曰以一年有二十四氣一氣之間分爲二通率七日強半而易一箭周年而用箭四十八也○雖日月晦明終不能逃△文選五十六陸佐公新漏刻銘曰一暑一寒有明有晦神道無跡天工罕代仍置挈壺是惟應載氣均衡石晷正權槩向曰晦闇也○是以一日之中有百刻之候

也△理數曰鈔卷之三選時寶鏡局司曰日百刻配十
二時之數天行一周晝夜百刻配十二時一時得八
刻十時得八十刻又二時得十六刻總九十六刻所
餘者四刻每刻分為六十分四刻該二百四十分布
之十二時之間每一時得八刻二十分△圖翼一卷
每日氣數百刻六千分觧按周禮總義每刻分為六
十分正合天元紀大論所謂天以六為節也今遵此
數推衍之則每日百刻總計六千分分六千分為十
二時則每時各得五百分又分百刻於十二時則每
時各得八刻二十分總計歳有六歩二十四氣則每
氣得十五日二時五刻十二分半計數得九萬一千
三百一十二分半積四氣而成歩則每歩得六十日
十時四刻一十分計數得三十六萬五千二百五十
分即六微旨大論所謂六十日八十七刻半者是也
○本朝漏刻之始按日本紀齊明天皇六年皇太子
天智初造漏尅使民知時天智天皇十年夏四月辛
卯置漏尅於新臺始打候時動鐘鼓始用漏尅此漏
尅者天皇為皇太子時始親所製造也又大内陰陽

寮有漏刻博士考之職員令曰漏尅博士二人掌率守辰丁伺漏尅之節守辰丁十二人掌伺漏尅之節以時擊鐘鼓鳴呼哀哉及　王室之衰失其制矣法象圖器亦不可知深可痛惜而已

夫六氣通主一歲則一氣主六十日八十七刻半乃知交氣之時有早晏也故立此圖以明之

交氣之時有早晏△六微旨大論帝曰願聞其歲六氣始終蚤晏何如岐伯曰明乎哉問也甲子之歲初之氣天數始於水下一刻終於八十七刻半云云馬註今帝先問一歲六步之氣始終之候早晏也甲子之歲始于水下一刻終于八十七刻半者甲子歲六步其天之氣少陰司天而左間太陰右間厥陰陽明在泉而左間太陽右間少陽皆各于所在之步更盛而相應地氣同治其令初之氣則在泉左間太陽寒氣盛相應地東北木氣治令而同主春分前六十日八十七刻半始終之候早晏也○此圖△日刻之圖

冬夏日有長短之異則晝夜互相推移而日出入時刻不同然終於百刻矣其氣交之刻則不能移也冬夏日有長短之異△冬晝短夜長夏晝長夜短△四時氣候曰夏至日長不過六十刻陽至此而極冬至日短不過四十刻陰至此而極○晝夜互相推移△言日長則晝刻增夜刻減日短則晝刻減夜刻增而不出於百刻此晝夜互相推移者也○日出入時刻不同△日出入時刻隨節氣不同其詳見書經大全虞書日永日短之圖理數日抄依授時曆抄文中二書有小異俱在辨證中卷○氣交之刻則不能移△言如甲子之歳初之氣始於水下一刻終於八十七刻半之刻有常數而不變也

甲子之歳初之氣始於漏水下一刻終於八十七刻半

子正之中也二之氣復始於八十七刻六分終於七十

五刻戌正四刻也三之氣復始於七十六刻終於六十二刻半酉正之中也四之氣復始於六十二刻六分終於五十刻未正四刻也五之氣復始於五十一刻終於三十七刻半午正之中也六之氣復始於三十七刻六分終於二十五刻辰正四刻也此之謂一周天之歲度餘刻交入乙丑歲之初氣矣甲子之歲初之氣始於漏水下一刻終於八十七刻半六微旨大論曰甲子之歲初之氣天數始於水下一刻終於八十七刻半張註甲子歲六十年之首也初之氣六氣之首地之左間也始於水下一刻漏水百刻之首寅初刻也終於八十七刻半謂每歩之數各得六十日又八十七刻半也故甲子歲初之氣始於首日寅時初初刻終於六十日後子時初四刻

至子之正初刻則屬春分節而交於二之氣矣九後之申子辰年皆同〇子正之中也△此言初之氣終時△王注子正之中夜之半也△困學紀聞九今攷五代會要晉天福三年司天臺奏漏刻經云晝夜百刻分為十二時每時有八刻三分之一六十分為一刻一時有八刻二十分四刻十分為正前十分四刻為正後二十分中心為時正上古以來皆依此法△中增韻半也△愚謂前四刻十分後四刻十分通為正之中言時正之半也今以子時八刻二十分之內前四刻十分為子正之中張氏以為子時初四刻比之大十分後言正之中者皆傚此〇二之氣復始於八十七刻六分終於七十五刻△六微旨大論無復字下同△張註此繼初氣而始於八十七刻六分直子之正初刻也又加二氣之六十日餘八十七刻半則此當終於七十五刻直戌之正四刻也後義傚此㊦戌正四刻也△王注作戌之後四刻也△按一時八刻之內前四刻為初言其時之初也後四刻為正言其時終正也故曰正四刻曰後四刻辭雖異實同

△圖翼一卷曰每日十二時每時得八刻二十分每
刻分為六十分八刻為前後則前四刻為初四刻
後四刻為正四刻分二十分為前後則前十分為初
初刻後十分為正初刻二十分者即每刻六十分之
二十也△又理數曰抄選時寶鏡局　初初刻一十
分　初一刻六十分　初二刻六十分　初三刻六
十分　初四刻六十分　已上是上四刻　正初刻
一十分　正一刻六十分　正二刻六十分　正三
刻六十分　正四刻六十分　已上是下四刻◯三
之氣復始於七十六刻終於六十二刻半△張註始
於七十六刻亥初初刻也終於六十二刻半酉初四
刻也◯四之氣復始於六十二刻六分終於五十刻
△張註始於六十二刻六分酉正初刻也終於五十
刻未正四刻也◯未正四刻也△王注正作後之義
實同其說見上◯五之氣復始於五十一刻終於三
十七刻半△張註始於五十一刻申初初刻也終於
三十七刻半午初四刻也◯六之氣復始於三十七
刻六分終於二十五刻△張註始於三十七刻六分

午正初刻也終於二十五刻辰正四刻也此二十五刻者即歲餘法四分日之一也○此之謂一周天之歲度△六微旨大論曰所謂初六天之數也△六氣天之氣數故六氣一周為一周天△歲度日刻也六氣日刻每氣各六十日八十七刻半總之三百六十五日二十五刻乃一歲之度數也故曰歲度△後漢書律歷志曰在天成度在曆成日○餘刻交入乙丑歲之初氣△餘刻歲外之餘二十五刻也乙丑歲初之氣天數始於二十六刻以交氣刻法言之則此年初氣亦當始於一刻然以其繼甲子歲終之氣二十五刻始於二十六刻二十六刻乃甲子歲二十五刻與乙丑歲一刻之合數也故曰餘刻交入乙丑歲之初氣

矣

如此而轉至戊辰年初之氣矣復始於漏水下一刻則四歲而一小周也故甲子辰氣會同者此也△如此而轉六微旨

大論曰乙丑歲初之氣天數始於二十六刻終於一十二刻半　張註始於二十六刻巳初初刻也終於一十二刻半卯初四刻也凡後之己酉丑年皆同二之氣始於一十二刻六分終於水下百刻始於一十二刻六分卯正初刻也終於水下百刻丑正四刻也三之氣始於一刻終於八十七刻半始於一刻寅初初刻也終於八十七刻半子初四刻也四之氣始於八十七刻六分終於七十五刻始於八十七刻六分子正初刻也終於七十五刻戌正四刻也五之氣始於七十六刻終於六十二刻半始於七十六刻亥初初刻也終於六十二刻半酉初四刻也六之氣始於六十二刻六分終於五十刻始於酉正初刻終於未正四刻此五十刻者四分日之二也所謂六二天之數也丑次於子故曰六二天之數義見前　丙寅歲初之氣天數始於五十一刻終於三十七刻半始於申初初刻終於午初四刻凡後寅午戌年皆同二之氣始於三十七刻六分終於二十五刻始於午正初刻終於辰正四刻三之氣始於二十六刻終於一十二

刻半始於巳初初刻終於卯初四刻四之氣始於一
十二刻六分終於水下百刻始於卯正初刻終於丑
正四刻五之氣始於一刻終於八十七刻半始於寅
初初刻終於子初四刻六之氣始於八十七刻六分
終於七十五刻始於子正初刻終於戌正四刻此七
十五刻者四分日之三也所謂六十三天之數也寅次
於丑故曰六十三　丁卯歲初之氣天數始於七十六
刻終於六十二刻半始於亥初初刻終酉初四刻九
後之亥卯未年皆同二之氣始於六十二刻六分終
於五十刻始於酉正初刻終於未正四刻三之氣始
於五十一刻終於三十七刻半始於申初初刻終於
午初四刻四之氣始於三十七刻六分終於二十五
刻始於午正初刻終於辰正四刻五之氣始於二十
六刻終於一十二刻半始於巳初初刻終於卯初四
刻六之氣始於一十二刻六分終於水下百刻始於
卯正初刻終於丑正四刻此水下百刻者即上文所
謂二十四步積盈百刻而成日也所謂六十四天之數
也卯次於寅故曰六十四此一紀之全數也○至戊辰

年初之氣癸復始於漏水下一刻。△六微旨大論曰、次戊辰歲初之氣復始於一刻。常如是無已、周而復始。張註以上丁卯年六之氣終於水下百刻、是子丑寅卯四年氣數至此已盡、所謂一紀。故戊辰年、則氣復始於一刻、而辰巳午未四年又為一紀、辰巳午未之後、則申酉戌亥四年又為一紀。此所以常如是無已、周而復始也。◎則四歲而一小周也。△王注、始自甲子年、終於癸亥歲、常以四歲為一小周、一十五周為一大周。◎申子辰氣會同。△六微旨大論、氣上有歲字。歲氣其歲六氣也。如甲子歲初之氣始於水下一刻、以至終之氣終於二十五刻、歷四歲正當上年戊辰歲復始於一刻、終於二十五刻、次至壬申歲復與戊辰歲同、所以申子辰歲氣會同三合也。此後巳年酉年俱同丑年、午年戌年俱同寅年、亥年未年俱同卯年。故申子辰、巳酉丑、寅午戌、亥卯未、歲氣皆同。四年以前如此、故以四歲為一小周、言初之氣終之氣始終刻數、四年間各不同、而四年前初之氣始於水下一刻、四年後終之氣終於百刻。是以氣數四年一周流然不積六十年則五運六氣始終不備所以四歲為一小周也△六微旨大論帝曰願聞其歲候何如岐伯曰悉乎哉問也日行一周天氣始於一刻歲候者通歲之大候此承上文而復總其氣數之始也一周者一周於天謂甲子一年為歲之首也日行再周天氣始於二十六刻乙丑歲也日行三周天氣始於五十一刻丙寅歲也日行四周天氣始於七十六刻丁卯歲也日行五周天氣復始於一刻戊辰歲也所謂一紀也如前四年是也一紀盡而復始於一刻矣紀者如天元紀大論所謂終地紀者即此紀字之義是故寅午戌歲氣會同卯未亥歲氣會同辰申子歲氣會同巳酉丑歲氣會同終而復始六十年氣數周流皆如前之四年故四年之後氣復如初所以寅午戌為會同卯未亥為會同辰申子為會同巳酉丑為會同今陰陽家但知此為三合類局而不知由於氣數之會同如此　有六十年歲氣三合會同圖在圖翼二卷

巳酉丑初之氣俱起於二十六刻寅午戌初之氣俱起於五十一刻亥卯未初之氣俱起於七十六刻氣皆起於同刻故謂之三合者義由此也此言十二年間初之氣刻數四變各同四年以前也○氣皆起於同刻△氣歳氣以下安文初之氣俱起之文觀之則所謂氣者獨指初之氣而言○故謂之三合者義由此也△王注陰陽法以是為三合者緣其氣會同也不爾則各在一方義無由合△撿三合之意十二支四分各為三支曰申子辰曰巳酉丑曰寅午戌曰卯未亥歳氣各起於同刻故陰陽家以此三支配月與日為三合日或配日與時曰三合時假令如寅月午戌月為三合日此月支與日支合也如寅日午戌時為三合時此日支與時支合也其義由氣起於同刻之意也△通書附後經上曰三合宜婚姻嫁娶和合交易諸事吉

△理數日鈔第五卷月轉吉神

正月二月三月四月五月六月七月八月九月十月十一月十二月

三合　午戌　未亥　子申　丑酉　寅戌　卯亥　子辰　丑巳　寅午　卯未　辰申　巳酉

同第三卷時家吉辰總局

日　子丑寅卯辰巳午未申酉戌亥

三合時吉　申巳午亥申酉寅亥子巳寅卯
　　　　　辰酉戌未子丑戌卯辰丑午未

以十五小周為一大周則六十年也四歲為一小周小周十五為一大周乃六十年也蓋歷六甲而氣數之周流大備故曰一大周此王氏說已列于上

標本之圖

子下曰君火午下曰君火者紀司天也午下曰本曰二下子下曰標曰七者正化從本生數對化從標成數也餘皆倣此

論標本第九

按篇中以三陰三陽爲標以水火木金土爲本而言其氣之同異及三陰三陽之名義圖中言正化對化之標本與篇中自相矛盾正化對化標本義見論生成數篇△至眞要大論張氏註標末也本原也猶樹

運氣鈔　卷三　十四

木之有根枝也分言之則根枝異形合言之則標出乎本

三陰三陽天之六氣標也水火木金土地之五行本也生長化收藏故陽中有陰陰中有陽動靜相召上下相臨陰陽相錯而變所由生也

三陰三陽△至眞要大論帝曰願聞陰陽之三也何謂張注厥陰少陰太陰三陰也少陽陽明太陽三陽也岐伯曰氣有多少異用也易曰一陰一陽之謂道而此曰三者以陰陽之氣各有盛衰盛者氣多衰者氣少天元紀大論曰陰陽之氣各有多少故曰三陰三陽也按陰陽類論以厥陰為一陰少陰為二陰太陰為三陰少陽為一陽陽明為二陽太陽為三陽數各不同故氣亦有異○天之六氣△天元紀大論曰寒暑燥濕風火天之陰陽也張註寒暑燥濕風火六氣化於天者也故為天之陰陽○水火木金土地之五行生長化收藏△天元紀大論曰木火土金水火

地之陰陽也生長化收藏下應之張註木火土金水
火五行成於地者也故爲地之陰陽生長化收藏下
應之謂木應生火應長土應化金應收水應藏也△
陰陽離合論曰生因春長因夏收因秋藏因冬△六
微旨大論曰非升降則無以生長化收藏張註生長
化收藏植物之盛衰也△爾雅釋天曰春爲發生夏
爲長贏秋爲收成冬爲安寧註此亦四時之別號尸
子皆以爲太平祥風△以三陰三陽爲標以水火木
金土爲本者言五行質具於地而氣行於天故地五
行爲本天六氣爲標◯故陽中有陰陰中有陽△天
元紀大論曰天有陰陽地亦有陰陽故陽中有陰陰
中有陽張註天本陽也然陽中有陰地本陰也然陰
中有陽此陰陽互藏之道如坎中有奇離中有偶水
之内明火之内暗皆是也惟陽中有陰故天氣得以
下降陰中有陽故地氣得以上升此即上下相召之
本◯動靜相召上下相臨陰陽相錯而變所由生也
△此又天元紀大論之文也但本文無所字△張註
動以應天靜以應地故曰動靜曰上下無非言天地

之合氣皆所以結上文相召之義

是道也非特徒然而書之各有至道至理存焉詳素問篇論交相而言標本則莫測其源是道也△標本之道△或道醫道△論語子罕篇是道也何足以臧◯徒然△文選三十八任彦升為范尚書讓吏部封侯第一表百年上壽既曰徒然向日徒然空言也◯各有至道至理存焉△至真要大論曰夫標本之道要而博小而大可以言一而知百病之害言標與本易而勿損察本與標氣可令調明知勝復為萬民式天之道畢矣張氏曰要而博小而大者謂天地之運氣人身之疾病變化無窮無不有標本在也如三陰三陽皆由六氣所化故六氣為本三陰三陽為標知標本勝復之化則氣可令調而天之道畢矣然疾病之或生於本或生於標或生於中氣凡病所從生即皆本也夫本者一而已矣故知其要則一言而終不知其要則流散無窮也◯

詳素問篇論△素問湯液醪醴論標本病傳論天元
紀大論六微旨大論至真要大論四篇論標本又靈
樞病本論言病有標本今此篇據天元紀六微旨至
真要等篇論天地運氣之標本故惟言素問不言靈
樞○交相而言標本則莫測其源△相字彙共也△
韻府交相和與恬交相養莊繕性勝敗可交相歐△
至真要大論馬氏註證曰按標本之義至廣至詳有
天地運氣之標本有人身藏府之標本有病體之標
本有治法之標本天元紀大論曰子午之歲上見少
陰丑未之歲上見太陰寅申之歲上見少陽卯酉之
歲上見陽明辰戌之歲上見太陽巳亥之歲上見厥
陰少陰所謂標也厥陰所謂終也蓋言子丑卯辰巳
申之歲爲對化對司化令之虛謂之曰標午未酉戌
亥寅之歲爲正化正司化令之實謂之曰終又曰厥
陰之上風氣主之少陰之上熱氣主之太陰之上濕
氣主之少陽之上相火主之陽明之上燥氣主之太
陽之上寒氣主之所謂本也是謂六元蓋言三陰三
陽爲標寒暑燥濕風火爲本也又六微旨大論曰少

陽之右陽明治之陽明之右太陽治之太陽之右厥陰治之厥陰之右少陰治之少陰之右太陰治之太陰之右少陽治之此所謂氣之標蓋南面而待之也少陽之上火氣治之中見厥陰陽明之上燥氣治之中見太陰太陽之上寒氣治之中見少陰厥陰之上風氣治之中見少陽少陰之上熱氣治之中見太陽太陰之上濕氣治之中見陽明所謂本也本之下中之見也見之下氣之標也本標不同氣應異象蓋言三陰三陽爲治之氣皆所謂六氣之標也少陽之上云十八句其火燥風寒熱濕爲治之氣皆所謂六氣之本也其中見之氣乃六氣之中氣也通前六氣之標言之則本居上標居下中氣居本標之中故曰本之下中之見也見之下氣之標也然中氣者三陰三陽各猶夫婦之配合相守而人之藏府經脉皆應之故少陽本標之中見厥陰本標之中見少陽而互爲中氣相守則人之膽與三焦爲少陽經亦絡肝與心包之厥陰經而肝與心包又絡膽與三焦而互交也陽明本標之中見太陰太陰本標之中見陽明而互爲

中氣相守則人之胃與太腸為陽明經亦絡脾肺之
太陰經而脾肺又絡胃與大腸經而互交也太陽本
標之中見少陰少陰本標之中見太陽而互為中氣
相守則人之膀胱小腸為太陽經亦絡腎與心之少
陰經而腎與心又絡小腸膀胱而互交也本標不同
氣應異象者謂太陽少陰二氣也太陽之上寒氣治
之是標陽本寒不同其氣應則太陽所至為寒生中
為溫而寒溫異象也少陰之上熱氣治之是標陰本
熱不同其氣應則少陰所至為熱生中為寒而熱寒
異象也此乃天地運氣之標本也又標本病傳論及
靈樞病本篇皆以先病為本後病為標惟中滿小大
便不利二病或為本或為標皆不分標本而先治其
標其餘百病皆先治其本也此乃病體先後分標本
也又湯液醪醴論曰病為本工為標此以病人醫人
分標本也○巳
上一篇之序

太陰濕土少陽相火為標本同至於少陰君火太陽寒

水則陰陽寒熱互相不同義從何來自此言標本之同不同及三陰三陽之名義○太陰濕土少陽相火為標本同△同氣同也太陰濕土標陰本濕陰少陽相火標陽本熱陽其氣皆為同○至於少陰君火太陽寒水則陰陽寒熱互相不同△言少陰君火標陰本熱陽太陽寒水標陽本寒陰其氣錯雜不同也△六微旨大論曰本標不同氣應異象張註本標不同者若以三陰三陽言之如太陽本寒而標陽少陰本熱而標陰也以中見之氣言之如少陽所至為火生而中為風陽明所至為燥生而中為濕太陽所至為寒生而中為熱厥陰所至為風生而中為火少陰所至為熱生而中為寒太陰所至為濕生而中為燥也故感氣有寒熱之非常者診法有脈從而病反者病有生於本生於標生於中氣者治有取本而得取標而得取中氣而得者此皆標本之不同而氣應之異象即下文所謂物生其應脈氣其應者是也故如瓜甜蒂苦葱白葉青參補蘆瀉麻黃發汗根節止汗之類皆本標不同之象

此一段義深意圓當與標本類諸章參悟〇義從何來△自問標本不同之意也△來由來△愚按此節及次節言太陰濕土少陽相火少陰君火太陽寒水四者標本同否而不言厥陰風木陽明燥金二者標本同否蓋厥陰標陰而本陽陽明標陽而本陰皆標本不同下文既以時氣藏象釋厥陰陽明名義則其意可見於言外矣

豈不知出於自然而非人意之所能名耶古今之論陽則順行又以進爲盛自先太陽而後少陽也陰則逆行又以退爲盛自先少陰而後太陰也此易爻卜筮之所同是以君火司於午午者一陰生之位火本熱而其氣當陰生之初故標本異而君火屬少陰也水居北方子

而子者一陽生之位水本寒而其氣當陽生之初故標本異而寒水屬太陽也土者乃西南維未之位應於長夏之月未乃午之次故土曰太陰也相火者司於寅寅乃丑之次故相火曰少陽也豈不知△應上義從何來△助語辭曰豈反說以見意有如俗諦耶上裏是之意或有如莫字之意韻書云安也○出於自然△言少陰太陽標本不同之義出於自然之妙也○古今之論△論論說○陽則順行陰則逆行△造化論曰陽氣自左而循右猶天道尚左而衆星左旋也陰氣自右而絡左猶地道尚右而瓜匏右纍也△洪範皇極內篇上曰陰陽相爲首尾者耶是故陽順而陰逆陽長而陰消陽進而陰退順者吉而逆者凶耶長者盛而消者衰耶進者利而退者鈍耶周流不窮道之體也失得相形事之紀也○又以進爲盛　又以退爲盛△易蒙引卷之二

十進退者謂七九皆陽數也陽以七為少九為老是陽主進也八六皆陰數也陰數反以八為少六為老是陰主退也其進退者蓋自然之變也豈容人力之所增損哉△易學啓蒙註玉齊胡氏曰七九為陽陽主進由少陽七而進七之上為八故踰八而進於九九則進之極更無去處了故九為老陽六八為陰陰主退由少陰八而退八之下為七故踰七而退於六六則退之極更無轉處了故六為老陰進則饒故老陽饒於八少陽饒於六退則乏故老陰乏於七少陰乏於九進而饒者陽之常退而乏者陰之常△入學圖說曰積生數之陽一三五為九老陽積生數之陰二四為六老陰積二三四為八陽多陰少為少陰積一二四為七陰多陽少為少陽陽居左而兼陰故自上至七為少陽至九為老陽饒故自左進而極於九陰居右而不得兼陽故自十至八為少陰至六為老陰陰乏之故自右退而窮於六陽自左而右陰自右而左者觀朝夕之影亦可見矣△易蒙引卷之一問陽進陰退就造化人事言之則如何曰春夏氣之嘘

秋冬氣之吸吸則退藏矣又如人身四十以前日向於壯進數也四十以後日浸以衰退數也然又須知陽全而陰半陰半陽無終盡之理也而陰只是陽藏後一半如今之和尚雖年八十而猶剃髮蓋髮常長也但比四十年前不同耳△又曰問一二三四五皆數也而獨用六七八九何歟曰河圖一二三四爲四象之位六七八九爲四象之數位其本身也數其作用也造化生成萬物皆其作用處故易中只用六七八九亦造化之自然非人所能爲也夫一連九爲十二連八三連七四連六各爲十此豈人之所能爲哉人爲者斯有窒而不合泥而不通者矣△盛孛衰茂也大也多也長也△論語泰伯篇曰唐虞之際於斯爲盛◯自先太陽而後少陽也　自先少陰而後太陰也△按三陰三陽次序素問陰陽類論以厥陰爲一陰少陰爲二陰太陰爲三陰少陽爲一陽陽明爲二陽太陽爲三陽蓋氣自少至太也今言陽進故先太陽而後少陽之理自存焉陰退故自有先少陰而後太陰之理也◯此易爻卜筮之所同△此者指先太陽

而後少陽先少陰而後太陰△易爻謂伏羲畫成之
卦爻△卜筮易本卜筮之書故曰卜筮△易繫辭曰
以卜筮者尚其占△白虎通龜曰卜蓍曰筮何卜赴
也爆見兆也筮信也見其卦也△字彙卜赴也赴來
者之心筮神也開筮者之事△書經洪範蔡傳禮記
大事卜小事筮傳謂筮短龜長是也自夫子贊易極
著蓍卦之德著重而龜書不傳云△愚按易占不用
龜故以卜筮字但為占意可也△易有四象太陽少
陰少陽太陰陽則先太陽後少陽陰則先少陰後太
陰見伏羲八卦次序及六十四卦次序圖圖載朱子
本義在辨證中卷故曰易爻卜筮之所同△易學啓
蒙原卦畫曰兩儀之上各生一奇一偶而為二畫者
四是謂四象其位則太陽一少陰二少陽三太陰四
其數則太陽九少陰八少陽七太陰六△繫辭本義
曰九此策數生於四象蓋河圖四面太陽居一而連
九少陰居二而連八少陽居三而連七太陰居四而
連六揲蓍之法則通計三變之餘去其初掛之一九
四為奇九八為偶奇以圓圍三偶以方圍四三用其全四

用其半積而數之則為六七八九而第二變條數策數亦皆符會蓋餘三奇則九而其揲亦九策亦四九三十六是為居一之太陽餘二奇一偶則八而其揲亦八策亦四八三十二是為居二之少陰二偶一奇則七而其揲亦七策亦四七二十八是為居三之少陽三偶則六而其揲亦六策亦四六二十四是為居四之老陰是其變化往來進退離合之妙皆出自然非人之所能為也△按四象次第位置非揲蓍求卦爻時每必如是也初間畫成卦爻便見有此象乃伏義畫卦自然之形體也因看八卦次序六十四卦次序可知之矣今引本義舉四象位策數例如右凡揲蓍不知合何先何後得已得了六爻皆變為老陽為老陰或為少陽為少陰或老陽老陰少陽少陰相錯雜然後名之以何爻何卦考其占焉揲蓍之法詳見筮儀啓蒙等書△是以君火司於午云云以下四章推廣上文古今之論以發明標本之異少陰太陰太陽少陽名義○君火司於午△言少陰君火於客氣司於午歲也○午者一陰生之位△午主五月為天風

姤卦一陰之所始生也○火本熱而其氣當陰生之
初故標本異而君火屬少陰也△火君火△其者指
君火而言○水居北方子△水太陽寒水言寒水居
北方子位故於主氣主子月也○而子者一陽生之
位△子主十一月為地雷復卦一陽之所始生也○
水本寒而其氣當陽生之初故標本異而寒水屬太
陽也△水亦太陽寒水△其者指太陽寒水而言○
未乃午之次故主曰太陰也△言太陰為少陰之次
陰主退以少為貴是以君火陰生之初曰少陰濕土
次之故曰太陰也○相火者司於寅△言少陽相火
於客氣司於寅歲也○寅乃丑之次故相火曰少陽
也△丑當作子言少陽為太陽之次太陽寒水陽之
微也而謂之太陽者陽主進以太為先是以陽之初
生曰太陽相火後之故曰少陽也○或問六氣正化
之義少陰正化於午太陰正化於未少陽正化於寅
太陽正化於亥圖意正如此論中以午未寅配少陰
太陰少陽皆有合之惟太陽以子言之乃水為六氣
主冬至前後各三十日有奇之意而與化於亥之

義爲不合矣又六氣次序主氣始於厥陰終於太陽
客氣始於少陰終於厥陰令先太陽而後厥陰之説
與之相反揔一事之異何哉曰此依易理發明六氣
自然之序非論主氣客氣也況歳氣起於子中故以
太陽爲先歳月皆無不然既先太陽則於歳少陽寅
歳自經太陽子又少陰午太陰未歳月倶爲次是以
有先太陽之論元儒吳澄六氣始終之説亦以歳氣
起於子中爲主其説雖必非此篇本意引以爲談助
○性理大全二十七臨川吳氏曰天地陰陽之運往
過來續木火土金水始終終始如環斯循六氣相生
之序也歳氣起於子中盡於子中故曰冬至子之半
天心無改移子午之歳始冬至燥金然後禪於寒水
以至相火日各六十者五而小雪以後其日三十復
終於燥金丑未之歳始冬至寒水二十日然後禪於
風木以至燥金日各六十者五而小雪以後其日二
十復終於寒水寅申以下皆然如是六十年至千萬
年氣序相生而無間非小寒之末無所於授大寒之
初無所於承隔越之氣不相接續而截自大寒爲次

年初氣之首也此造化之妙内經秘而未發
啓玄子闕而未言近代楊子建晞推而得之
木者位居東方震在人主於肝肝者陰未退之而出
雖陽藏居高下處陰之位木必待陰而後生故屬厥陰
也
此言厥陰名義也○震△卦名△說卦傳曰萬物出
乎震震東方也○在人主於肝△素問金匱眞言論
曰東方靑色入通于肝張註東爲木王之方肝爲屬
木之藏故相通也靑者木之色○肝者陰未退△陰
寒氣△藏氣法時論曰肝主春△難經四十一難曰
肝者東方木也木者春也萬物始生其尚幼小意無
所親去太陰尚近離太陽不遠猶有兩心故有兩葉
也滑氏本義愚謂肝有兩葉應東方之木木者春也
萬物始生草木甲拆兩葉之義也越人偶有見於此
而立爲論識不必然不必不然也其曰太陰太陽固
不必指藏氣及月令而言但陰冬爲陰之極首夏爲
陽之盛謂之太陰太陽無不可也○于△而出△語

肝形狀△字彙餘字下六書正譌古文田干白虎
通曰肝之爲言干也肝木之精也東方者陽也萬物
始生故肝象木色青而有枝葉目爲之候何曰能出
淚而不能納物木亦能出枝葉不能有所內也△史
記評林肝者幹也於五行爲木其體狀有枝幹也△
又按干之而出之干有干犯之意之者乃指陰未退
而言○陽藏△靈樞順氣一日分爲四時篇曰肝爲
牡藏心爲牡藏脾爲牝藏肺爲牝藏腎爲牝藏張註
按五藏配合五行而惟肝心爲牡藏脾肺腎皆爲牝
藏蓋木火爲陽土金水皆爲陰也△素問金匱眞言
論曰背爲陽陽中之陽心也背爲陽陽中之陰肺也
腹爲陰陰中之陰腎也腹爲陰陰中之陽肝也腹爲
陰陰中之至陰脾也張註如人之五藏何以心肺爲
背之陽肝脾腎爲腹之陰蓋心肺居於膈上連近於
背故爲背之二陽藏肝脾腎居於膈下藏載於腹故
爲腹之三陰藏然陽中又分陰陽則心象人之日故
曰牡藏爲陽中之陽肺象人之天天象玄而不自明
朱子曰天之無星空處謂之辰故天體雖陽而實包

藏陰德較乎日之純陽者似爲有間故肺曰牝藏爲
陽中之陰若陰中又分陰陽則腎屬人之水故曰牝
藏陰中之陰也肝屬人之木木火同氣故曰牡藏陰
中之陽也脾屬人之土其體象地故曰牝藏爲陰中
之至陰也○居鬲下△難經二十二難本義曰鬲者
隔也凡人心下有鬲膜與脊脇周迴相著所以遮隔
濁氣不使上薫於心肺也△儒醫精要曰膈膜在下
與脊脇周圍相着如幕不漏以遮蔽濁氣使不上薫
於心肺△素問診要經終篇馬註蓋人之有鬲前齊
鳩尾後齊十一椎所以遮隔濁氣不使上薫心肺也
心肺居于鬲上腎肝居于鬲下而脾則居于鬲中○
處陰之位△處居韻留也△陰之位下部△六微旨
大論曰天樞之上天氣主之天樞之下地氣主之△
至真要大論曰身半以上其氣三矣天之分也天氣
主之身半以下其氣三矣地之分也地氣主之△性
理字義曰蓋人受陰陽二氣而生此身莫非陰陽如
氣陽血陰脉陽體陰頭陽足陰上體爲陽下體爲陰
△肝雖陽藏居鬲下處陰之位故靈樞以肝爲陰中

之少陽△靈樞九鍼十二原篇曰陰中之少陽肝也張註肝脾腎居於膈下皆爲陰藏而肝則陰中之陽故曰少陽○木必待陰而後生故屬厥陰也△陰陰木也△至真要大論帝曰厥陰何也岐伯曰兩陰交盡也張註厥盡也兩陰交盡陰之極也

金者居西方兌在八主肺肺爲華蓋雖陰藏居高上處陽之位金必待陽而後發故屬陽明也此言陽明名義也○在八主肺

△金匱真言論曰西方白色入通於肺張註西爲金王之方肺爲屬金之藏其氣相通白者金之色○肺爲華蓋△素問逆調論曰肺者藏之蓋也張註五藏之應天者肺也故爲五藏六府之蓋△靈樞師傳篇曰五藏六府者肺爲之蓋△十四經發揮曰肺之爲藏六葉兩耳四垂如蓋附著於脊之第三椎中有二十四空行列分布諸藏清濁之氣爲五藏華蓋云△華蓋和名岐沼加散見源順倭名類聚鈔△對類器

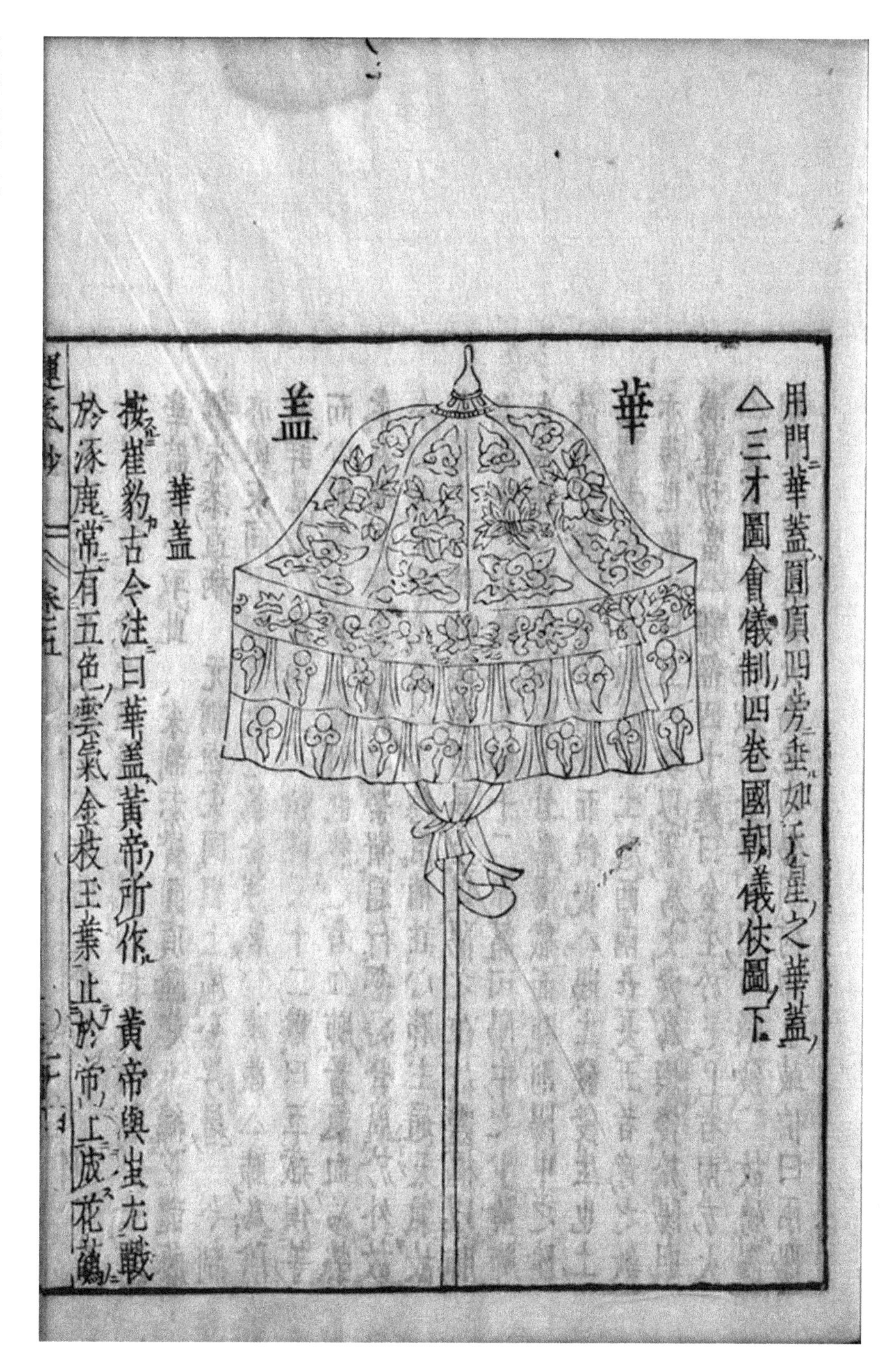

用門華蓋圓頂四旁垂如天皇星之華蓋
△三才圖會儀制四卷國朝儀仗圖下

華蓋

華蓋

按崔豹古今注曰華蓋黄帝所作　黄帝與蚩尤戦
於涿鹿常有五色雲氣金枝玉葉止於帝上有花葩

之象因作華盖又晉天文志曰大帝上九星曰華盖
所以覆蔽大帝之座盖下九星曰杠盖其柄也世有
華盖義亦取此　宋制赤質圓頂隆起上繡花龍藤　今制
纏朱漆直柄　元制與宋同但上施金浮屠
亦與宋同上加雲氣花鵠金浮屠○陰藏△肺為陰
藏詳見上○居鬲上△難經三十二難曰五藏俱等
而心肺獨在鬲上者何也然心者血肺者氣血為榮
氣為衛相隨上下謂之榮衛通行經絡營周於外故
令心肺在鬲上也△丁德用補註心肺主通天氣故
在膈上△肺雖陰藏居鬲上處陽之位故靈樞以肺
為陽中之少陰△九鍼十二原篇曰陽中之少陰肺
也張註心肺居於膈上皆為陽藏而肺則陽中之陰
故曰少陰○金必待陽而後發△陽土發發生也土
為陽者論生成數篇曰土應西南長夏五者奇之數
亦陽也故土曰五△或以陽為火發為煥發於陽明
義甚切當△難經四十難曰金生於巳巳者南方火
△星宗大全四時賦曰金得火明而煥發○故屬陽
明也△至眞要大論帝曰陽明何謂也岐伯曰兩陽

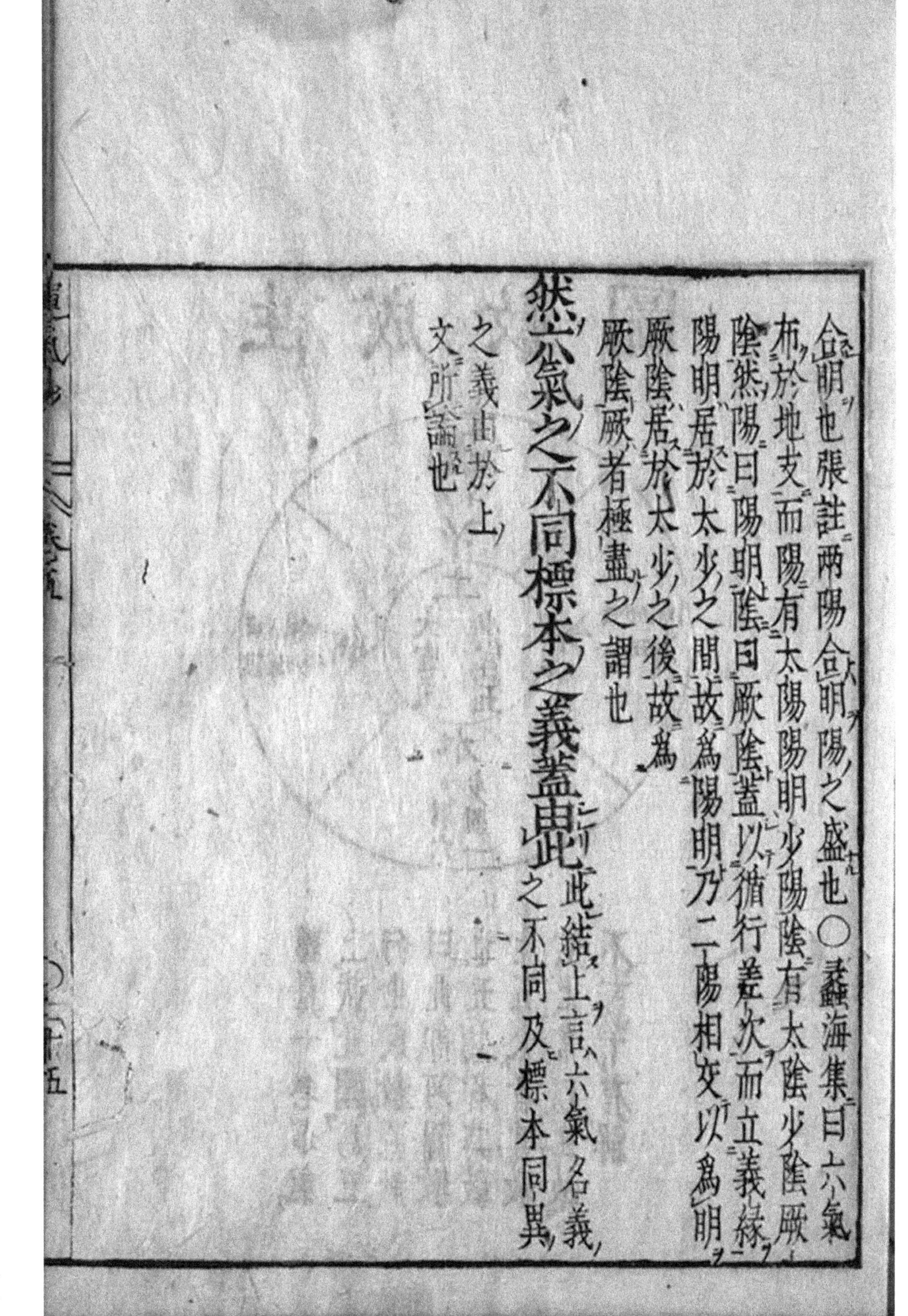
合明也張註兩陽合明陽之盛也○蠡海集曰六氣布於地支而陽有太陽陽明少陽陰有太陰少陰厥陰然陽曰陽明陰曰厥陰蓋以循行差次而立義緣陽明居於太少之間故爲陽明乃二陽相交以爲明厥陰居於太少之後故爲厥陰厥者極盡之謂也

然六氣之不同標本之義蓋此此結上言六氣名義之不同及標本同異之義由於上文所論也

運氣鈔　卷五

生成數圖

圖翼一卷運氣上載此圖為五行生成數圖解曰此即河圖數也五少者其數生五太者其數成土常以生故不言十有解

論生成數第十

生成△五行生成△易蒙引曰問水一也何爲天以一生之而地以六成之曰成者只是生者之結果處△此篇論五行生成數以明五運六氣之數也

天高寥廓六氣回旋以成於四時地厚幽深五行生化以成於萬物可謂無窮而莫測者也聖人立法以推步者蓋不能逃其數觀其立數之因亦皆出乎自然故載於經典同而不異推以達其機窮以通其變皆不離於數內

此一篇之序言聖人測其數以示將來也◯天高地厚△寒山詩天高高不窮地厚厚無極△周禮地官大司徒之職注疏從地至天億一萬六千七百八十七里半地之厚與天高等△造化論曰天地

相去八萬四千里沖和之氣在其中矣四萬二千里已上爲陽位四萬二千里已下爲陰位△性理大全二十六問天地之所以高深曰天只是氣非獨是高只今人在地上便只見如此高要之連地下亦是天又云世間無一箇物事大故地恁地大地只是氣之查滓故厚而深也△此朱子之說也○寥廓△文選八楊子雲羽獵賦歷五帝之寥廓善曰寥廓高遠也△同四十四司馬長卿難蜀父老　猶鷦鵬已翔乎寥廓之宇註寥深廓空也○六氣同旋△六氣同轉於天也○幽深△易繫辭曰无有遠近幽深△幽廣韻深也○五行生化△五行生化於地也○可謂無窮而莫測者也△莊子在宥篇曰彼其物無窮而人皆以爲終彼其物無測而人皆以爲極○聖人立法以推步者蓋不能逃其數△聖人指黄帝岐伯也△立法者立運天之紀從地之理和其運調其化天地升降不失其宜五運宜行勿乖其政等法也△推步者謂推天六氣地五行六元正紀大論所謂推而次之即此意也△不能逃其數其者指五行也△圖翼

曰如六元正紀大論云寒化一寒化六災一宮災三
宮之類皆由此數而定○觀其立數之因亦皆出乎
自然△因最初也△皆者五行俱也△後漢書律暦
志曰古之人論數也曰物生而後有象象而後有滋
滋而後有數然則天地初形人物既著則筭數之事
生矣△易繫辭曰河出圖洛出書聖人則之△河圖
洛書數之根源見辨證中卷○故載於經典同而不
異△典玉篇丁殄切經籍也△經典謂易書素靈△
同而不異言伏羲之作易箕子之陳洪範軒岐之推
運氣無不因數故其所載皆五行之數而未嘗不同
也○推以達其機窮以通其變△二句互文也△其
者指天六氣地五行而言△機韻會變也△上繫辭
第十章通其變遂成天地之文本義曰變則象之未
定者也△言聖人推窮五運六氣之理通達其變化
之淵源皆莫
離於數內也

一曰水二曰火三曰木四曰金五曰土者咸有所也　自此

以下言數也△一曰水至五曰土書經洪範之文也
△洪範曰五行一曰水二曰火三曰木四曰金五曰
土蔡傳水火木金土者五行之生序也天一生水地
二生火天三生木地四生金天五生土唐孔氏曰萬
物成形以微著爲漸五行先後亦以微著爲次五行
之體水最微爲一火漸著爲二木形實爲三金體固
爲四土質大爲五　大全介軒董氏曰大抵天地之間
太極判而爲陰陽陰陽分而爲五行太極理也陰陽
五行氣也理必寓乎氣氣不離乎理故天一生水天
三生木天五生土三者皆陽之所生地二生火地四
生金二者皆陰之所生析而言之爲五行對而言之
爲二氣豈無其理而自爾哉△性理大全二十七或
問氣行於天質具於地則是有氣便有是質氣如是
質便如是以氣而語其行之序則木火土金水以質
而言其生之序則水火木金土氣之序如此質之序
如此潜室陳氏曰五行始生謂太極流行之後自氣
而成質自柔而成剛水最柔故居一火差剛故居次
至木至金至土則浸堅剛故洪範與易言所生之序

皆如此氣則成四時之序即五行之序也△近思錄一卷葉采集解天一生水地二生火天三生木地四生金天五生土所謂陽變陰合而生水火木金土是也△蠡海集曰天一生水地二生火天三生木地四生金天五生土一二水火之生形具而質未全故水有乾涸火有灰燼其耗也速三四金木之生形質始具故木之朽金之剥蝕其耗也遲至五土而形質全備故亘古而無耗也◎咸有所也△言洪範五行之數皆各有序也△詩經鴇羽篇曰悠悠蒼天曷其有所集註悠悠蒼天何時使我得其所乎

水北方子之位也子者陽生之初一陽數也故水曰一

火南方午之位也午者陰生之初二陰數也故火曰二

木居東方東陽也三者奇之數亦陽也故木曰三金居西方西陰也四者偶之數亦陰也故金曰四土應西南

長夏五者奇之數亦陽也故土曰五由是論之則數以陰陽而配者也

此承上以方位時氣之理論五行之數也○土應西南長夏五者奇之數亦陽也故土曰五△亦字對長夏言長夏陽之王時五者奇數亦陽也故土曰五△圖翼曰土王中宮而統乎四維五為數中故土曰五○由是論之則數以陰陽而配者也△此句結上文△陰陽者方位時氣奇偶之陰陽也△洪範大全配者比並之謂△按水一北方陰火二南方陽土五西南陰故水火土以時氣言木三東方陽金四西方陰故木金以方位言蓋取其氣之合者也

若攷其深義則水生於一天地未分萬物未成之初莫不先見於水故靈樞經曰太一者水尊號先地之母後萬物之源以今驗之則草木子實未就人蟲胎卵胚

皆水也豈不以水為之 自此以下又以事物當然之理推五行之數而此一段言水一之數也○若攷其深義△圖翼作若以物理論之△攷字彙叩也稽察也△其者指五行之數○水生於一△易坎卦程傳坎水也一始於中有生之最先者也△理學類編卷之一會齋鮑氏曰物之初生其形皆水水者萬物之一原皆根於天一之造化夫金石之產其初亦乳一陽之氣一日之時一年十一月冬至皆肇於子子者水位也夫水生於陽而成於陰氣始動而陽生氣聚而靜則成水觀可氣可見蓋生水之初屬陰故微至成水時則六矣或問曰天一生水亦有物可驗乎曰人之一身可驗矣貪心動則津生哀心動則淚生愧心動則汗生慾心動則精生方人心寂然不動之時則太極也此心之動則太極動而生陽也所以心一動而水生即可以為天一生水之證神為氣主神動則氣隨氣為水母氣聚則水生也○天地未分萬物未成之初莫不先見於水△性理大全二十六朱子曰天地始初混沌未分時想只有

水火二者水之滓脚便成地今登高而望羣山皆爲波浪之狀便是水泛如此只不知因甚麽時凝了初間極輭後來方凝得硬問想得如潮水湧起沙相似曰然水之極濁便成地火之極清便成風△天命圖說曰物之所以生者其初也莫不先禀乎水之氣漸以凝聚久而後堅固而成形焉○靈樞經△王冰素問序班固漢書藝文志曰黄帝内經十八卷素問即其經之九卷也兼靈樞九卷迺其數焉△新校正云素問外九卷漢張仲景及西晉王叔和脉經只爲之九卷皇甫士安名爲鍼經亦專名九卷楊玄操云黄帝内經二帙帙各九卷按隋書經籍志謂之九靈王冰名爲靈樞△類經名義神靈之樞要是謂靈樞△文獻通考二百二十二靈樞經九卷　晁氏曰王砅謂此書即漢志黄帝内經十八卷之九也或謂好事者於皇甫謐所集内經倉公論中抄出之名爲古書也未知孰是○太一△靈樞九宮八風篇曰太一常以冬至之日居叶蟄之宮四十六日云云張註太一北辰也按西志曰中宮天極星其一明者太一之常居

也蓋太一者至尊之稱若萬數之始為太一元之主宰
故曰太一即北極也北極居中不動而斗運於外斗
有七星附者一星自一至四為魁自五至七為杓斗
杓旋指十二辰以建時節而北極統之故曰北辰古
云太一運璇璣以齊七政者此之謂也△按太一有
居九宮之日因視風所從來而以占吉凶事詳本篇
在辨證下卷此篇惟取太一之名以明水數之為一
也○水尊號△明玄臺馬氏註靈樞曰太一者歲神
也景岳張氏以為北辰令溫舒以太一為水尊號蓋
太一者北方水位尊星而陰陽之元本也是以為水
尊號其意合張氏說△史記二十四樂書正義曰太
一北極太星也△又二十七天官書曰中宮天極星
其一明者太一常居也索隱文耀鈎曰中宮大帝其
精北極星含元出氣流精生也△太一義亦見中
卷論天符鈔中○地之母△易說卦傳曰乾天也故
稱乎父坤地也故稱乎母蒙引乾天也物所資始有
父道焉故稱父坤地也物所資生有母道焉故稱母
△坤稱母故謂地為地之母先地之母者言厥初水

先地也○後萬物之源△後字未安或以爲爲字之誤或以爲而後之意爲字之說爲正言水爲萬物之最初源頭△原病式曰土爲萬物之母水爲萬物之元故水土同在下而爲萬物之根本△本草綱目水部序曰水爲萬化之源土爲萬物之母△春秋元命包曰水者天地之包幕五行之始爲萬物之所繇生元氣之津液也○以今驗之△之者指天地未分萬物未成之初而言○子實△果蓏之總名○人蟲△蟲者裸毛羽鱗介之總稱族各三百六十人亦裸蟲之長而人爲萬物之靈不可混物故並言之曰人曰蟲蓋別之也五蟲之說見家語及五常政大論在下卷論大小氣運相臨同化抄中○胎卵△毛蟲胎生羽鱗介卵生也△禮記禮運曰其餘鳥獸之卵胎皆可俯而闚也△文選西都賦註在腹曰胎卵鳥子也△字彙凡物無乳者卵生△皇極經世書觀物外篇下禽蟲之卵果穀之類也穀之類多子蟲之類亦然○胎胚△人未生之時△對類曰胚胎孕一月爲胚三月爲胎△剪燈新話二卷註胚婦孕一月凝血

也△醫學入門外集婦人門曰夫人之有生也毋之血室方開父之精潮適至陰陽既翕如布袋紉紐而精血乘中氣自然旋轉不息如蜣螂之滾糞合啖含受成一團圓璇璣九日一息不停然後陰陽大定玄黃相包外似纏絲瑪瑙其中自然虛成一竅空洞虛圓與鷄子黃中一穴相似而團圓之外氣自凝結爲胞衣初薄漸厚如彼米飲豆漿面上自結一皮中竅日生從無入有精血日化從有入無九日之後次九又九九二十七日即成一月之數數自然凝成一粒如露珠然乃太極動而生陽天一生水謂之胚又三九二十七日即二月數此露珠變成赤色如桃花瓣子乃太極靜而生陰地二生火謂之䏔又三九二十七日即三月數百日間變成男女形影如清泉濁中有白絨相似以成人形鼻與雌雄二器先就分明其諸全體隱然可悉斯謂之胎乃太極之乾道成男坤道成女△九有血氣之屬有胎卵濕化之四生人是屬胎生而今胎卵之胎不兼人亦特曰胎胚蓋所以別於物也○豈不以水爲一△圖翼曰真一不先由於

水而後成形是水爲萬物之先故水數一

及其水之聚而形質化莫不備陰陽之氣在中而後成故物之小而味苦者火之兆也物熟則甘土之味也甘極則反淡淡本也然人稟父母陰陽生成之化故先生二腎左腎屬水右腎屬火曰命門則火之因水而後見故火曰次二

此言火二之數也○及其水之聚而形質化莫不備△理學類編卷之一朱子曰陽變陰合初生水火水火氣也流動閃爍其體尚虚其成形猶未定次生木金則確然有定形矣水火初是自生木金則資於土五行之屬皆從土中旋生出來△日本紀神代卷上開闢之初洲壤浮漂譬猶游魚之浮水上也于時天地之中生一物狀如葦牙便化爲神號國常立尊○陰陽之氣在中而後成△

言水聚則陰陽之氣在其中二氣變化而後萬物之
形質成矣乃陰水氣而陽火氣也△邵子皇極經世
曰陽生陰故水先成陰生陽故火後成註水陰根陽
而生於一故水先成火陽根陰而生於二故火後成
○物之小而味苦者火之兆也△凡草木子實青小
時苦蔬菜之類初生亦苦△近思錄集解兆幾微之
見○物熟則甘土之味也△五運行大論土生甘王
註物之味甘者皆始自土之生化也△格致餘論曰
彼粳米之甘而淡者土之德也△易蒙引曰此五行
物物有箇五行也凡物資始時屬水流形時屬火向
於實則木矣實之成則金矣分明是箇元亨利貞四
者則總歸於土○甘極則反淡淡本也△淡對鹹味
薄△五常政大論王註甘之化薄而為淡也△淡水
味故甘極反淡乃返本也或疑本水字歟亦通○人
稟父母陰陽生成之化△父母陰陽者父陽母陰△
易繫辭曰乾道成男坤道成女蒙引天地生物何緣
有男女之分蓋太極實函陰陽所謂一陰一陽之謂
道也是以太極肇判之初其氣固自分陰分陽陽之

輕清上浮為天陰之重濁下凝為地及天地既位之後此氣又相絪縕融結亦自分陰分陽得陽之奇而健者為男得陰之偶而順者為女此皆其理之自然而不容以不然者所謂天地萬物之父母是也故以男為乾道之所成女為坤道之所成也○生成之化△生成父生母成也△化化育又形化△易繫辭曰男女搆精而萬物化生本義化生形化者也○故先生二腎△靈樞決氣篇曰兩神相搏合而成形常先身生是謂精△醫學正傳或問有生之初胚胎未成之際先生二腎即造化天一生水之義△原病式仙經曰先生右腎則為男先生左腎則為女謂男為陽火女為陰水故也○左腎屬水右腎屬火火曰命門△難經三十六難曰藏各有一耳腎獨有兩者何也然腎兩者非皆腎也其左者為腎右者為命門命門者諸神精之所舍原氣之所繫也男子以藏精女子以繫胞故知腎有二也△又三十九難曰其左為腎右為命門命門者精神之所舍也男子以藏精女子以繫胞其氣與腎通△類經附翼三卷求正錄命門

辨曰雖是五藏各一獨腎有二既有其二象不無殊譬以耳目一二也而左明於右手足一二也而右強於左故北方之神有蛇武蛇主陽而武主陰兩尺之脉分左右左主水而右主火夫左陽右陰理之常也而此曰左水右火又何爲然蓋腎屬子中氣應冬至當陰陽中分之位自冬至之後天左旋而時爲春斗杓建於析木日月右行合在亥辰次會於娵訾言其陽進一月則會退一宮而太陽漸行於右人亦應之故水位之右爲火也且人之四體本以應地地之剛在西北亦當右尺爲陽理宜然者故脉經以腎藏之脉配兩尺但當曰左尺主腎中之眞陰右尺主腎中之眞陽而命門爲陽氣之根故隨三焦相火之脉同見於右尺則可若謂左腎爲腎右腎爲命門則不可也雖然若分而言之則左屬水右屬火而命門當附於右尺合而言之則命門象極爲消長之樞紐左主升而右主降前主陰而後主陽故水象外暗而內明坎卦內奇而外偶腎兩者坎外之偶也命門一者坎中之奇也一以統兩兩以包一是命門總主乎兩腎而兩腎

皆屬於命門故命門者爲水火之府爲陰陽之宅爲精氣之海爲死生之竇△命門詳義見求正錄及醫學正傳或問△言有生之初先生腎藏其藏有左右右者屬火此父母一陰之真水聚生火之意也◯則火之因水而後見△此八字承上文人物兩條◯故火曰次二△據下文當作故次二曰火△圖翼曰化生已兆必分陰陽既有天一之陽水必有地二之陰火故火次之其數則二

蓋草木子實大小雖異其中皆有兩以相合者與人腎同亦陰陽之兆是以萬物非陰陽合體則不能生化也既陰陽合體然後有春生而秋成故次之三曰木次四曰金

此言木三金四之數也◯草木子實大小雖異其中皆有兩以相合者與人腎同亦陰陽之兆△言凡草木子實有皮殼核肉之品俱大小雖異而其中兩分含心相合此陰陽二氣之表與腎有左右之象

同蓋具生生不窮之理也△蔡虚齋易蒙引巻之二
問如桃梅菓子之類屬奇乎屬偶乎曰植物屬陰偶
也故其核殼與肉仁皆為兩瓣子但其中生意則奇
而屬陽故初萌時而無餘也◎是以萬物非陰陽合
體則不能生化也△上陰陽之兆之陰陽與此陰陽
實指水火也△天元紀大論曰水火者陰陽之徴兆
也張註徴證也兆見也陰陽之徴見於水火水火之
用見於寒暑所以陰陽之往復寒暑彰其兆即此謂
也△陰陽應象大論曰水火者陰陽之徴兆也張註
陰陽不可見水火即其證而可見也△合體謂陰陽
交媾如男女之合身體△禮記昏義曰合體同尊卑
◎然後有春生而秋成△春生木之化秋成金之化
△天元紀大論曰金木者生成之終始也張註金主
秋其氣收斂而成萬物木主春其氣發揚而生萬物
故為生成之終始◎故次三曰木次四曰金△圖翼
曰陰陽既合必有發生水氣生木故木次之其數則
三既有發生必有收殺燥氣
生金故金次之其數則四

蓋水有所屬火有所藏木有所發金有所別莫不皆因土而後成五也故次五曰土　此言土五之數也○水有所屬火有所藏木有所發金有所別莫不皆因土而後成五也△運氣易覽無成五之五字△言水附屬於土火藏於土中木發生於土金土生而別於土此水火木金四行皆因土而後成是以水火木金一二三四之數亦以土五成也然火之藏也擊金石則光發鑽木則烟出不可取之於土而金石在土中木麗土乃火伏藏於土也故曰火有所藏○故次五曰土△圖翼曰至若天五生土地十成之似乎土生最後而戴廷槐曰有地即有土矣若土生在後則天一三之木地四之金將何所附且水火木金無不賴土土豈後生者哉然土之所以言五與十者蓋以五爲全數之中十爲成數之極中者言土之不偏而總統乎四方極者言物之歸宿而包藏乎萬有皆非所以言後也

木居於東金居於西火居於南水居於北土居中央而寄位四維應令四季在人四支故金木水火皆待土而後成兼其土數五以成之則水六火七木八金九土常以五之生數不可至乎者土不待十以成是生成之數皆五以合之則大衍之數由是以立則萬物豈能逃其數哉

此推廣土之五而言爲水火木金之成數也○木居於東金居於西火居於南水居於北△此言水火金木之四行各居於一方○土居中央而寄位四維應令四季在人四支故金木水火皆待土而後成△令時令△四支左右手足脾土之所主也△素問太陰陽明論帝曰脾病而四支不用何也岐伯曰四肢皆稟氣於胃而不得至經必因于脾乃得稟也△氣交變大論曰其藏脾其病内舍心腹外在肌肉四

支馬註脾之分部内在心腹外在肌肉四支故病見
于此耳△言土居中宮而位乎四維王四季主四肢
此於方統四方於時在四時中於人為一身用故水
火木金四行皆無不由土也◎兼其土數五以成之
則水六火七木八金九△言水火木金各生數之上
兼土數五以為成數也△周易圖說附録思齋翁氏
曰水火金木不得土不能各成一器何以見之且天
一生水一得五便為水之成地二生火二得五便為
火之成天三生木三得五便為木之成地四生金四
得五便為金之成皆本於中五之土也◎土常以五
之生數不可至十者土不待十以成△六元正紀大
論帝曰太過不及其數何如岐伯曰太過者其數成
不及者其數生土常以生也張註土氣長生於四季
故常以生數而不待於成也△圖翼曰惟土之常以
生數者蓋五為數之中土居位之中而兼乎四方之
氣故土數常應於中也雖易繫有天十成之之謂而
三部九候論曰天地之數始於一終於九焉此所以
土不待十而後成也△禮記月令中央土其數五陳

氏集說曰天五生土地十成之四時皆舉成數此獨舉生數者四時之物無土不成而土之成數又積水一火二木三金四以成十也四者成則土無不成矣○是生成之數皆五以合之則大衍之數由是以立△是受上文△皆者指五行△由是者由於五也△言五行之上各合五數則為生成之數大衍之數所以由立也△易繫辭曰大衍之數五十其用四十有九本義大衍之數五十蓋以河圖中宮天五乘地十而得之至用以筮則又止用四十有九蓋皆出於理勢之自然而非人之知力所能損益也大全節齋蔡氏曰天參地兩合而為五位每位各衍之為十故曰大衍蒙引衍者就母數起乎數之謂也△玉海七十六冊曰生數自一二三四而極於五成數自六七八九而極於十故大衍之數五十○則萬物豈能逃其數哉△其者指大衍之數而言△繫辭曰二篇之策萬有一千五百二十當萬物之數也本義二篇謂上下經九陽爻百九十二得六千九百一十二策陰爻百九十二得四千六百八策合之得此數大全朱子

曰二篇之策當萬物之數不是萬物盡於此數只是取象自一而萬數萬數來當萬物之數耳△愚按周易六十四卦分為上下兩經上經三十卦下經三十四卦每卦六爻二篇陽爻百九十二陰爻亦百九十二總有三百八十四爻其策數萬有一千五百二十此陽爻據老陽之策六三十六對陰爻據老陰之策四二十四對陽爻總六千九百一十二策陰爻總四千六百八策陰陽總合萬有一千五百二十本用五十莖蓍筮得此策數乃萬物之數也故曰萬物豈能逃其數哉

三陰三陽正化者從本生數對化者從標成數此言五六氣之數也△言三陰三陽代為司天在泉有正化有對化午未寅酉戌亥之歲為正化子丑申卯辰巳之歲為對化言數之標本則生數始為本成數終為標六元正紀大論六十年運氣之紀各紀司天在泉數如甲子甲午歲少陰君火司天陽明燥金在泉曰熱化二燥化四癸巳癸亥歲厥陰風木司天少陽相火在泉曰風化八火化二之類乃正化之

年從本生數則司天在泉皆屬生數也對化年從標成數則司天在泉皆屬成數也△六元正紀大論甲子甲午歲熱化二燥化四新校正曰詳對化從標成數正化從本生數甲子之年熱化七燥化九甲午之年熱化二燥化四△按六元正紀大論六十年司天有言生數者有言成數者在泉亦然或司天在泉俱有言生數者有言成數者新校正之意以爲略文故司天在泉數下各分注正化對化如此今此舉一例餘倣此△六元正紀大論張介賓類註曰愚按上文六十年氣化之數有言生數者有言成數者新校正注云詳對化從標成數正化從本生數謂如甲子年司天熱化七在泉燥化九俱從對化也甲午年司天熱化二在泉燥化四俱從正化也六十年司天在泉正對皆同此意似乎近理今諸家多宗之而實有未必然者何也如少陰司天子午年也固可以子午分正對矣然少陰司天則陽明在泉陽明用事則氣屬卯酉也又安得以子午之氣言在泉之正對耶且凡司天有餘則在泉必不足司天不足則在泉必有餘

氣本不同若以司天從對化之成數而言在泉亦成
數司天從正化之生數而言在泉亦生數則上有餘
下亦有餘上不足下亦不足是未上下不同之義
耳故以司天言正對則可以在泉言正對則不合矣
且內經諸篇並無正對之說惟本篇後文曰太過者
其數成不及者其數生此但欲因生成之數以明氣
化之微甚耳故其言生者不言成言成者不言生皆
各有深意存焉似不可以強分也然欲明各年生成
之義者但當以上中下三氣合而觀之以察其盛衰
之象庶得本經之意但正化對化之義亦不可不知
今并附圖說於圖翼二卷以備明者參正△愚按天
元紀大論及至真要大論新校正曰正司化令之實
對司化令之虛而今何以正化不為成數卻為生數
對化不為生數卻為成數此自相矛盾且悖於本經
太過者其數成不及者其數生之義矣溫舒從之因
襲之誤也正化對化之義又見中卷客氣下卷勝復
篇今又抄出六元正紀大論司
天在泉之數於後以便參閱

六元正紀大論六十年司天在泉之數

年	司天在泉	司天化	在泉化
甲子 甲午歲	少陰君火司天 陽明燥金在泉	熱化二	燥化四
乙丑 乙未歲	太陰濕土司天 太陽寒水在泉	濕化五	寒化六
丙寅 丙申歲	少陽相火司天 厥陰風木在泉	火化二	風化三
丁卯 丁酉歲	陽明燥金司天 少陰君火在泉	燥化九	熱化七
戊辰 戊戌歲	太陽寒水司天 太陰濕土在泉	寒化六	濕化五
己巳 己亥歲	厥陰風木司天 少陽相火在泉	風化三	火化七
庚午 庚子歲		熱化七	燥化九
辛未 辛丑歲		雨化五	寒化一
壬申 壬寅歲		火化二	風化八
癸酉 癸卯歲		燥化九	熱化二
甲戌 甲辰歲		寒化六	濕化五
乙亥 乙巳歲		風化八	火化二
丙子 丙午歲		熱化二	清化四
丁丑 丁未歲		雨化五	寒化一
戊寅 戊申歲		火化七	風化三
己卯 己酉歲		清化九	熱化七
庚辰 庚戌歲		寒化一	雨化五

辛巳　辛亥歲　風化三　火化七
壬午　壬子歲　熱化二　清化四
癸未　癸丑歲　雨化五　寒化一
甲申　甲寅歲　火化二　風化八
乙酉　乙卯歲　燥化四　熱化二
丙戌　丙辰歲　寒化六　雨化五
丁亥　丁巳歲　風化三　火化七
戊子　戊午歲　熱化七　清化九
己丑　己未歲　雨化五　寒化一
庚寅　庚申歲　火化七　風化三
辛卯　辛酉歲　清化九　熱化七
壬辰　壬戌歲　寒化六　雨化五
癸巳　癸亥歲　風化八　火化二

庚午庚子歲以下不紀詞夫在泉宜由前推之

五運之紀則太過者其數成不及者其數生 此言五運之數也○

五運之紀△按六元正紀大論帝曰五運氣行主歲之紀其有常數乎岐伯荅文中紀五運太過不及之

數故曰五運之紀〇太過者其數成不及者其數生△按六元正紀大論甲太宮土運濕化五己少宮土運雨化五乙少商金運清化四庚太商金運清化九丙太羽水運寒化六辛少羽水運寒化一丁少角木運風化三壬太角木運風化八戊太徵火運熱化七癸少徵火運熱化二此太過者其數成不及者其數生土常以生也△六元正紀大論帝曰太過不及其數何如岐伯曰太過者其數成不及者其數生土常以生也張註太過者其數成成者氣之盛也不及者其數生生者氣之微也土氣長生於四季故常以生數而不待於成也按此數有生成其即氣有初中之義與詳見圖翼一卷五行生成數解前章六十年運氣政令之數九云寒化一寒化六等義即此△圖翼曰如甲丙戊庚壬五太之年為太過其數應於成乙丁己辛癸五少之年為不及其數應於生惟土之常以生數者蓋五為數之中土居位之中而兼乎四方之氣故土數常應於中也雖易繫有天十成之之謂而三部九候論曰天地之數始於一終於

九焉此所以土不及
待十而後成也

各取其數之生成多少以占政令氣化勝復之述作蓋明諸用也

此結上二節△六元正紀大論王註數生者各取其生數多少以占政令德化勝復之休作日及尺寸分毫並以準之此蓋都明諸用者也○其數△於五運太徵火運熱化七少徵火運熱化二於六氣甲子甲午歲熱化二燥化四之類○生成多少△生數少成數多也○占△繫辭曰極數知來之謂占○政令△氣交變大論曰政令者氣之章馬註歲候有政令乃氣之彰著者也△按六元正紀大論六十年運氣之紀太陽司天其政肅其令徐張氏曰政肅者寒之氣令徐者陰之性也陽明司天其政切其令暴金火之氣也少陽司天其政嚴其令擾木火之化也太陰司天其政肅其令寂寒之政肅濕之令寂少陰司天其政明其令切火明金切厥陰司天其政撓其令速風政撓火令速○氣化△馬氏註六元

正紀大論曰六步之氣生長化收藏△按六十年運
氣之紀太陽少陽少陰之政曰氣化運行先天陽明
太陰厥陰之政曰氣化運行後天△張註凡子寅辰
午申戌六陽年皆爲太過丑亥酉未巳卯六陰年皆
爲不及太過之氣常先天時而至故其生長化收藏
氣化運行皆蚤不及之氣常後天時而至故其氣化
運行皆遲如氣交變大論曰太過者先天不及者後
天本篇後文曰運太過則其至先運不及則其至後
皆此義也○勝復△按六十年運氣之紀凡陽年則
不言勝復陰年不及有勝復已土年風木化清金化
勝復乙金年熱火化寒水化勝復辛水年雨土化風
木化勝復丁木年清金化熱火化勝復癸火年寒水
化雨土化勝復此不及之運有來勝之化有來復之
化也○述作△王注述作休見上述即休字之誤也
△休平聲說文息止也△作去聲韻會起也○蓋明
諸用也△用謂五運六氣之化更爲用△六元正紀
大論曰氣用有多少馬注氣化之用有多少○此言
五運六氣各以生數成數推政令之微甚氣化之先

後勝復之有無而知其所始終起止此聖人明諸氣化之用也〇圖翼曰先聖察生成之數以求運氣者蓋欲因數以占夫氣化之盛衰而示人以法陰陽和術數先歲氣合天和也其所以關於生道者非淺觀者其毋忽之

運氣論奥疏鈔卷之五終

特1
87

1
87

運氣論奧疏鈔　卷六

27. 3. 15

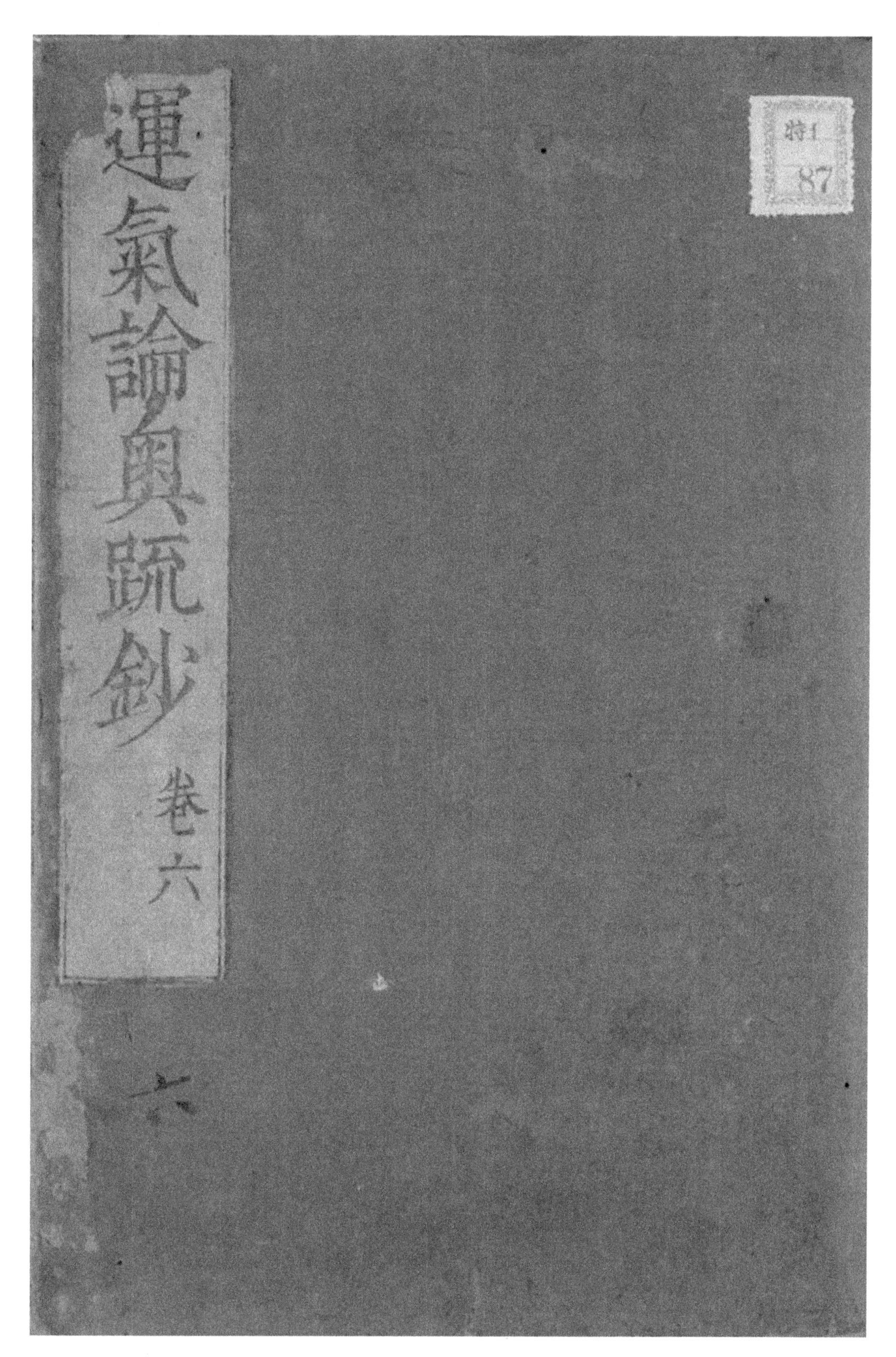
運氣論奥疏鈔　巻六
特1
87
六

運氣論奧疏鈔卷之六

難波津　後學　松下見林　著

目錄

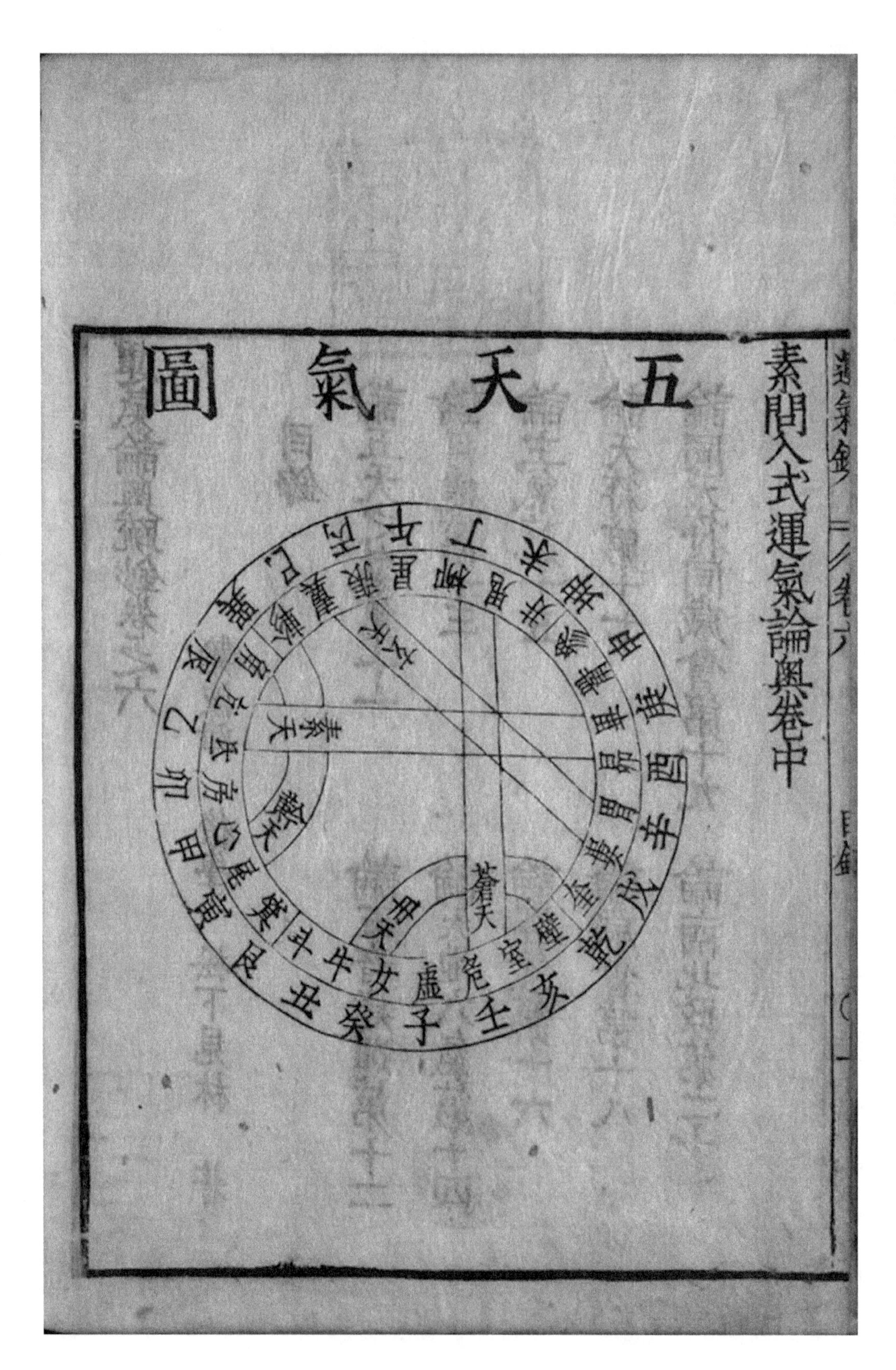

素問入式運氣論奥卷中
五天氣圖
素天
黅天
蒼天
丹天
玄天
乾 亥 壬 子 癸 丑 艮 寅 甲 卯 乙 辰 巽 巳 丙 午 丁 未 坤 申 庚 酉 辛 戌
角 亢 氐 房 心 尾 箕 斗 牛 女 虛 危 室 壁 奎 婁 胃 昴 畢 觜 參 井 鬼 柳 星 張 翼 軫

論五天之氣第十一

五天之氣△丹天之氣黅天之氣素天之氣玄天之氣蒼天之氣太古觀天察五氣此五運之所以化也

天地支干相錯而列於八方各有定位星宿環列垂象於其上而各有分野

天地支干△天干地支也○相錯而列於八方△如圖中所紀○各有定位△十干十二支各有一定方角也○星宿△二十八宿○環列△環列於周天也○垂象於其上△史記樂書註象光耀△其上天干地支之上也○分野△如星宗大全分野黄道之分野謂二十八宿之分次非邦域分野之義圖中以二十八宿分屬於十干十二支者是也五運分野之法牛女奎壁四宿臨戊癸之位心尾角軫四宿臨甲巳之位亢氐昴畢四宿臨乙庚之位張翼婁胃四宿臨丙辛之位危室柳鬼四宿臨丁壬之位詳見下文披洪範皇極內篇下卷曰分天為九野中央曰鈞天其星曰北極上規

七十二度東方曰蒼天其星亢氐房心尾東北曰變
天其星箕斗北方曰玄天其星牛女虛危室西北曰
幽天其星壁奎婁西方曰昊天其星胃昴畢西南曰
朱天其星觜參井南方曰炎天其星鬼柳星張翼東
南曰陽天其星翼軫角皆四十有五度半彊此亦以
天分九野可見野字以區處為言不獨止於國野封
域分野之説亦不可不知三才圖會天文
三卷有二十八宿分野之圖所宜參考

故太古占天望氣以書于冊垂示後人在精意以致之
而後可明也 太古△通鑑捷録盤古氏一曰盤固氏乃
為太古注遠大故舊之義也○占天望氣
△占字彙候也又瞻也△楊子法言五百篇或問聖
人占天乎曰占天地若此則史也何異曰史以天占
人聖人以人占天△望氣經曰凡望氣占候皆在子
午卯酉之時太乙初移宮皆有氣見可以測之久則
日入時朝則日出時夜則夜半時中則午時△史記
二十七天官書曰凡望雲氣仰而望之三四百里平

望在桑揄上餘千里二千里登高而望之下屬地者三千里△占天望氣觀五天察五氣也△太古占天望氣依張氏說爲天地開闢初之事小學紺珠以爲伏羲占天望氣未知孰是◯以書于冊△素問五運行大論帝曰願聞其所始也岐伯曰昭乎哉問也臣覽太始天元冊文丹天之氣經於牛女戊分黅天之氣經於心尾己分蒼天之氣經於危室柳鬼素天之氣經於亢氐昴畢玄天之氣經於張翼婁胃張註此所以辨五運也始謂天運初分之始太始天元冊文太古占天文也此天地初分之時赤氣經於牛女戊分牛女癸之次戊當乾之次故火主戊癸也黄氣經於心尾己分心尾甲之次己當巽之次故土主甲己也青氣經於危室柳鬼危室壬之次柳鬼丁之次故木主丁壬也白色經於亢氐昴畢亢氐乙之次昴畢庚之次故金主乙庚也黒氣經於張翼婁胃張翼丙之次婁胃辛之次故水主丙辛也此五運之所以化也△天元紀大論王注天元冊所以記天眞元氣運行之紀也自神農之世鬼臾區十世祖始誦而行之

此太古占候璽文渾乎伏羲之時已鐫諸玉版命曰冊文太古璽文故命曰太始天元冊也△王應麟小學紺珠經曰伏羲氏占天望氣而畫卦後世有天元玉冊目爲伏羲之書者乃鬼臾區十世口誦而傳之也△余觀古今醫統有太始天元玉冊元誥此非素問所引太始天元冊者證之經文天元紀大論五運行大論則俱言太始天元冊文六微旨大論則曰天元冊未嘗以元誥稱之也新校正云今世有天元玉冊或者以謂即此太始天元冊文非是恐指元誥而言又有王氷天元玉冊并載其目於後以博多聞矣又國史經籍志有天元玉冊藏法見下卷論歲中五運鈔中余謂經所引太始天元冊者後世不可見有元誥藏法等書而傳于世然皆非本書也△古今醫統卷之三翼醫通考上天元玉冊元誥十卷不知何人所作歷漢至唐諸藝文志俱不載錄其文自與內經不類非戰國時書其間有天皇真人昔書其文若道正冊爲先天有之太易無名先於道生等語皆老氏遺意意必老氏之徒所著者大要推原五運六氣

上下臨御主客勝復政化從乘及三元九宮太乙司政之類殊爲詳明深足以羽翼内經六微旨五常政等論太玄君扁鵲爲之註猶郭象之於南華非新學之所易曉觀其經註一律似出一人之手謂扁鵲爲黄帝時人則其書不古謂扁鵲爲秦越人則傳中無太玄君之號醫門假托率多類此△同操擁諸書天元玉冊三十卷啓玄子王氷述元誥内經之意盖以五運六氣之變△文獻通考二百二十二天元玉策三十卷晁氏曰啓元子撰即唐王砯也書推五運六氣之變△此言上世占天望氣立五運以書事于太始天元冊垂示於後人素問引其文然其文簡古似省略故讀冊文者精心意以考之而後可明之

蓋天分五氣地列五行五氣分流散於其上經於列宿下合方隅則命之以爲五運　蓋△此說冊文大意故下蓋字○天分五氣△五氣五色雲氣○地列五行△言地列十干十二支五行之位也○流△字彙演也畢也○其上△十干十二

支之上也○經△字彙適也○列宿△文選二十五傳長虞贈何劭王濟詩列宿曜紫微向曰列宿二十八宿也△此列宿者指牛女奎壁心尾角軫亢氐昴畢張翼婁胃危室柳鬼二十宿也撥五運行大論五天之氣經於此二十宿每氣各四宿四五二十也○方隅△四方四隅即十干之位也○命△韻會名也△愚按五天之氣經於二十宿之上其所向方角十干皆化於其氣如戊土癸水而丹天之氣向其方故戊癸年爲火運之類也五天之氣與十干之五行所合者止巳庚二運而已餘盡不合之矣蓋此五行氣化之妙用也○以上三節一篇之序

丹天之氣經于牛女奎壁四宿之上下臨戊癸之位立爲火運自此下五節推太始天元冊之意以言立五運之始也○丹天之氣△張註丹赤色火氣也○立爲火運△言立戊癸年爲火運也

黅天之氣經于心尾角軫四宿之上下臨甲己之位立爲土運 黅天之氣△張註黅黄色土氣也○立爲土運△言立甲己年爲土運也

素天之氣經于亢氐昴畢四宿之上下臨乙庚之位立爲金運 素天之氣△張註素白色金氣也○立爲金運△言立乙庚年爲金運也

玄天之氣經于張翼婁胃四宿之上下臨丙辛之位立爲水運 玄天之氣△張註玄黒色水氣也○立爲水運△言立丙辛年爲水運也

蒼天之氣經于危室柳鬼四宿之上下臨丁壬之位立爲木運 蒼天之氣△張註蒼青色木氣也○立爲木運△言立丁壬年爲木運也

此五氣所經二十八宿與十二分位相臨則灼然可見

因此以紀五天而立五運也　此△承上五節○五氣△五天之氣○二十八宿△指牛女奎壁心尾角軫亢氐昴畢張翼婁胃危室柳鬼二十八宿也○十二分位△十二支相分而位也一本分作支言十二分位則十干在其中矣又按十二十干之誤與謂十干分位則合上文之意也○灼然△祖庭事死一卷酌然當作灼然隻略切昭灼也△此言五氣經於二十八宿之間二十八宿與十干分相向臨故占天望氣昭然可見之因此聖人以紀五天之名而立五運年也△愚按二十八宿環列於四方附天而移毎日周天一匝天傾西北故二十八宿半隱半見不可同時皆見矣若星宿爲南方中星則二十八宿雖半隱而各爲列於其方太古占天望氣恐在星宿中星之時乎左氏傳曰九分至啓閉必書雲物蓋分至啓閉之日若昏若旦星宿爲中星時以望五天之氣也△醫學入門聖人仰觀五天雲色分注九占當於正月初一日若太過之紀寅初看不及之紀寅末看平治之紀寅正看△又按諸書知五運

出於五天之氣而不知六氣亦出於五天之氣故有正化對化之說明樓全善醫學綱目以為五運六氣皆出於五天之氣可謂深得經旨也今表出其說于下○醫學綱目四十卷五運六氣總論五運行大論類注曰此一章覆論前章五運六氣所化陰陽之義也其論五天之氣所經星宿為運氣之化皆干與支同屬者及連位者齊化也土主甲己及丑未之上太陰主之者黅天之氣經于心尾己分之象而心尾者甲地己分者中宮故甲與丑連位己與未同屬齊化濕土也金主乙庚及卯酉之上陽明主之者素天之氣經于亢氐昴畢之象而氐亢者乙地昴畢者庚地故乙與卯同屬庚與酉同屬齊化燥金也水主丙辛及辰戌之上太陽主之者玄天之氣經于張翼婁胃之象而張翼者丙地婁胃者辛地故丙與辰連位辛與戌連位齊化寒水也木主丁壬及巳亥之上厥陰主之者蒼天之氣經于危室柳鬼之象而危室者壬地柳鬼者丁地故壬與亥同屬丁與巳同屬齊化風木也火主戊癸及子午之上少陰主之寅申之上少

陽主之者丹天之氣經于牛女戊分之象而牛女者
癸地戊分者中宮故癸與子同屬戊與午連位齊化
火熱也干之甲乙屬木位東丙丁屬火位南庚辛屬
金位西壬癸屬水位北戊己屬土位中宮支之寅卯
配甲乙巳午配丙丁申酉配庚辛亥子配壬癸辰位
東南未位西南戌位西北丑位東北為四維屬戊己
故乙卯同屬木丁巳同屬火巳未同屬土庚酉同屬
金壬癸亥子同屬水也甲寅位東之首癸丑位北之
尾而甲丑連位癸寅連位也丙位南之首辰位東之
尾而丙辰連位也戊己位木火金水中間在天地為
門戶在四時為長夏南連午西連申而戊己午中連
位故戊己無方位而經獨言戊分己分者表章之也
辛戌皆位西之尾而辛戌連位也獨戊火連申夾未
土於中癸火連寅夾丑未於中者蓋濕土在中火游
行其間在天在土前在地居土後而土火常相混也
故土旺長夏火熱之內丹溪深悟此理發明濕熱相
火為病十居八九及有濕鬱生熱熱久生濕之論良
以此也其五天之象所經星宿分野獨當五運之干

位不及六氣之支位者蓋干之與支即根本之與枝葉經言干則支在其中矣故其化皆干與支之同屬有運位齊化者是根本與枝葉同化者也○又宜與論奧合氣鈔中醫學綱目之語參考焉

戊為天門乾之位也巳為地戶巽之位也

戊為天門巳為地戶△此鈔圖中無戊巳戊下曰天門巳下曰地戶此言戊為天門巳為地戶即釋內經奎壁角軫則天地之門戶也之義戊巳無方位而經獨表戊分巳分又繼之以所謂戊巳分者奎壁角軫則天地之門戶也蓋以奎壁見戊分以角軫見巳分也然初學難明之故今釋其意言奎壁臨乾角軫臨巽故戊為天門巳為地戶△五運行大論曰所謂戊巳分者奎壁角軫則天地之門戶也張註奎壁臨乾戊分也角軫臨巽巳分也戊在西北巳在東南遁甲經曰六戊為天門六巳為地戶故曰天地之門戶詳義見圖翼一卷奎壁角軫天地之門戶說△圖翼奎壁角軫天地之門戶說在前十二支篇鈔中○乾之位△說卦傳曰乾西北之

卦也△位方位〇巽之位
△說卦傳曰巽東南也

自房至畢十四宿為陽主晝自昴至心十四宿為陰主夜通一日也

此言二十八宿有屬陽者有屬陰者分主晝夜也△靈樞衛氣行篇曰天周二十八宿而一面七星四七二十八星房昴為緯虛張為經是故房至畢為陽昴至心為陰陽主晝陰主夜張註自房至畢其位在卯辰巳午未申故屬陽而主晝自昴至尾其位在酉戌亥子丑寅故屬陰而主夜〇運氣易覽論五天五運之氣後曰一說自開闢以來五氣乘承元會運世自有氣數天地萬物所不能逃近世當是土運是以人無疾而亦痰如俗稱楊梅瘡自南行北人物雷同濕生〇又曰一人旅寓北方夏秋久雨天行咳嗽頭痛用益元散滑石六兩甘草一兩薑葱湯調服應手取効日發數十斤此蓋甲巳土運濕令痰壅肺氣上竅但瀉膀胱下竅而已不在該嗽例也

五音建運之圖

論五音建運第十二

五音建運△言以五音配五運而分太少以見氣化之異故曰五音建運

五音者五行之音聲也土曰宮金曰商木曰角火曰徵

水曰羽在陽年則曰太在陰年曰少音聲△禮記樂記
集説詩疏曰雜比
曰音單出曰聲○土曰宮△土下著音字者金木火
水皆倣此○在陽年則曰太在陰年曰少△陰年下
當有則字△言五運有陽年有陰年陽年曰太陰
年曰少故圖中五音上著太少字○以上序分

晉書曰角觸也象諸陽氣觸動而生自此下五節引晉
書釋宮商角徵羽
之義也○晉書△文獻通考卷之一百九十二經籍
考正史晉書一百三十卷晁氏曰唐房喬等撰貞觀
中以何法盛等十八家晉史未善詔喬與褚遂良許
敬宗再加撰次乃據臧榮緒增損之後又命李淳風
李義甫李延壽等十二人分掌著述敬播等四人考
正類例西晉四帝五十四年東晉十一帝一百二年
又胡羯氏羌鮮卑割據中原為五涼四燕三秦二趙
夏蜀十六國共成帝紀十志二十列傳七十載記三
十例出於播天文律曆淳風專之喬以宣武紀陸機
王羲之傳論上所自為故曰制旨又總題御撰焉按

歷代之史唯晉叢冗最甚可以無譏至於取流約誕誣之說采語林世說幽明録搜神記詭異謬妄之言亦不可不辨○諸△韻會語助○前漢書律歷志曰角觸也物觸地而出戴芒角也

其位丁壬歲也其位△其者指角而言△圖翼位作化下同

徵止也言物盛則止言夏自物長極而漸衰止也△白虎通曰徵者止也陽氣止△律歷志曰徵祉也物盛大而繁祉也

其位戊癸歲也其位△其者指徵而言

商強也謂金性之堅強言秋萬物收斂枯凋得金性也金性為堅強○律歷志曰商之為言章也物成孰可章度也

其位乙庚歲也其位△其者指商而言

羽舒也陽氣將復萬物慈育而舒生萬物慈育而舒生△圖翼作萬物將舒也○慈△說文愛也○育△廣韻養也○舒△韻會伸也△言冬月陽氣來復萬物慈育於其氣而屈曲者伸也生也○白虎通曰羽者紆也陰氣在上陽氣在下○律歷志曰羽宇也物聚藏宇覆之也

其位丙辛歲也其位△其者指羽而言

宮中也中和之道無往而不理圖翼中和上有得字理作畜△言土居中央無專氣得中和之道萬物無不由之故中和之道無往而不治○律歷志曰宮中也居中央暢四方唱始施生為四聲綱也○白虎通曰宮者容也含也含容四時者也

又總堂室奧阼而謂之宮所圍不一蓋土亦以通貫於金木水火王於四季榮於四藏皆總之之意也此又釋宮之義

蓋温舒之說也○堂△事物紀原第八堂演義曰堂當也當正向陽之屋又堂明也言明禮義之所管子曰軒轅有明堂之議春秋内事曰軒轅氏始有堂室棟宇則堂之名肇自黄帝也○室△易繋辭蒙引室宮中之房舍△爾雅釋宮宮謂之室室謂之宮註皆所以通古今之異語明同實而兩名疏釋名云宮穹也言屋見於垣上穹崇然也室實也言人物實滿於其中也△和名無吕○奥阼△禮記哀公問曰目巧之室則有奥阼集說室之有奥所以爲尊者所處堂之有阼所以爲主人之位也△家語問王篇註室西南隅謂之隩阼阼階也△爾雅曰西南隅謂之奥疏孫炎云室中隱奥之處也古者爲室戸不當中而近東則西南隅最爲深隱故謂之奥而祭祀及尊者常處焉曲禮云凡爲人子者居不主奥是也△玉篇阼酢東階所以荅酬賓客○謂之宮△事物紀原曰蘇氏演義宮中也言處都邑之中也又宮方也爲宮必以雉堞方正也○所圍不一△圍俗語取廻之意言宮中有堂堂奥阼之品其所取廻不一也○蓋土

亦以通貫於金木水火王於四季榮於四藏皆總之之意也△運氣易覽王作主△圖翼皆作而△言土亦如宮之總堂室奥阼有無不總之意於行為土金木水火在干其中總以通貫之於時寄旺於四季之末以總四時於藏為脾主行水穀之精氣而敷榮於肝心肺腎四藏此皆總之之意也故土音曰宮△醫學入門卷之一臟腑總論曰脾居中州而播敷四臟以為一身之運幹也

其位甲己歲也其位△其者指宮而言

故五運從十干起甲為土也土生金故乙次之金生水故丙次之如此五行相生而轉甲為陽乙為陰亦相間而數如環之無端故五運從十干起甲為土也△圖翼作故天干起於甲土△故字受總堂室奥阼而謂之宮云云一節也言五運十干之化是以從年干定運運乃起於甲屬土者也○土生金故乙

次之△言五行相生土生金故乙金運次甲土運也△之者指甲○金生水故丙次乙△言金生水故丙水運次乙金運也△之者指乙○如此五行相生而轉△圖翼曰水生木故丁次之木生火故戊次之火又生土故巳又次之循序以終於癸而復於甲也○甲為陽乙為陰亦相間而數如環之無端△圖翼曰十干以甲丙戊庚壬為陽乙丁巳辛癸為陰在陽則屬太在陰則屬少太者為有餘少者為不及陰陽相配太少相生如環無端△六節藏象論帝曰五運始如環無端

詳其五音五運之由莫不上下相召小大相乗同歸于治而已是故因刻以成日因日以成月因月以成歳遁相因以制用

上下△天干地支○小大△當作少太少太如少宮太宮之少太乃陰年陽年也○乗△增韻治也因也○同歸于治△言十干十二支陰年陽年皆治年月莫不歸治也△書蔡仲之命曰

爲善不同同歸于治○因刻以成日因日以成月因月以成歲△莊子則陽篇曰除日無歲△荀子儒效篇曰且暮積之謂歲○遁相因以制用△言日因刻月因日歲因月遁相因仍以制造五運之用也言之以明五運生於正月干詳見下文△易繫辭曰制而用之謂之法

雖太古占天望氣定位之始見黅天之氣橫於甲巳爲土運素天之氣橫於乙庚爲金運玄天之氣橫於丙辛爲水運蒼天之氣橫於丁壬爲木運丹天之氣橫於戊癸爲火運則莫不有從焉若以月建之法論之則立運之因又可見也自此以下言占天望氣之外別有立五運因緣也○定位之始△位十干之位定位者定黅天之氣橫於甲巳之位以爲土運之類也○見黅天之氣橫於甲巳云云爲火運△天元紀大

論王注太始天地初分之時陰陽折位之際天分五
氣地列五行五行定位布政於四方五氣分流散支
於十干當是黄氣横於甲巳白氣横於乙庚黒氣横
於丙辛青氣横於丁壬赤氣横於戊癸故甲巳應土
運乙庚應金運丙辛應水運丁壬應木運戊癸應火
運太古聖人望氣以書天冊賢者謹奉以紀天元△
横和語横折之意也△六元正紀大論曰横雲不起
雨△禮記孔子間居以横於天下集説横者廣被之
意△山海經郭璞注横塞也○則莫不有從焉△言
五運皆從五天之氣也△圖翼曰是知五運之化莫
不有所由從蓋巳肇於開闢之初矣詳太始天元冊
文及天元紀大論中○若以月建之法論之△配十
干於月爲月建此惟言正月月建也△之者謂五運
○則立運之因又可見也△又字對太古占天望氣
而言△見見解△圖翼曰自太始初分陰陽析位雖
五運之象昭於五天然尚有月建之法及十二肖之
説則立運之因是又一理月建者單舉正
月爲法如甲巳之歳正月首建丙寅云云

何哉丙者火之陽建於甲巳歲之首正月建丙寅丙火生土故甲巳爲土運戊者土之陽建於乙庚歲之首正月建戊寅戊土生金故乙庚爲金運庚者金之陽建於丙辛歲之首正月建庚寅庚金生水故丙辛爲水運甲者木之陽建於戊癸歲之首正月得甲寅甲木生火故戊癸爲火運壬者水之陽建於丁壬歲之首正月得壬寅壬水生木故丁壬爲木運是五運皆生於正月建干豈非日月歲時相因而制用哉此以月建之法論五運也◎何哉△助語辭曰何哉言何故如此且咨嗟之◎丙者火之陽建於甲巳歲之首△建廣韻置也△言用丙建於甲巳歲之

首寅上也○正月建丙寅△此建字兼斗建之義凡
正月斗指寅方每年皆同甲巳年用丙置寅上故曰
正月建丙寅△撥甲巳曰正月建丙寅乙庚曰正月
建戊寅丙辛曰正月建庚寅丁壬曰正月得壬寅戊
癸曰正月得甲寅觀此則言建者三言得者二得字
比建字文理順從愚謂丙寅戊寅庚寅三建字恐得
字也○丙火生土故甲巳為土運△言甲巳年正月
干為丙丙為火火生土故其年甲巳運為土運也○
戊者土之陽建於乙庚歳之首△言用戊建於乙庚
歳之首寅上也○正月建戊寅△乙庚年用戊置寅
上故曰正月建戊寅○戊土生金故乙庚為金運△
言乙庚年正月干為戊戊為土土生金故其年乙庚
運為金運也○庚者金之陽建於丙辛歳之首△言
用庚建於丙辛歳之首寅上也○正月建庚寅△丙
辛年用庚置寅上故正月建庚寅也○庚金生水故
丙辛為水運△言丙辛年正月干為庚庚為金金生
水故其年丙辛運為水運也○甲者木之陽建於戊
癸歳之首△言用甲建於戊癸歳之首寅上也○正

月得甲寅△戊癸年用甲置寅上故正月得甲寅也○甲木生火故戊癸為火運△言戊癸年正月干為甲甲為木木生火故其年戊癸運為火運也○壬者水之陽建於丁壬歲之首△言用壬建於丁壬歲之首寅上也○正月得壬寅△丁壬年用壬置寅上故正月得壬寅也○壬水生木故丁壬為木運△言丁壬年正月干為壬壬為水水生木故其年丁壬運為木運也△壬者水之陽建於丁壬歲之首云二十七字當在甲者木之陽建於戊癸歲之首云之上然則丁壬戊癸次第為順也○是五運皆生於正月建干△是者受上文而言△言每歲五運之化皆生於其中正月十干之五行也○豈非日月歲時相因而制用哉△此又承上因刻以成日因日以成月因月以成歲遞相因以制用言五運皆生於正月建干則歲月相因而制用也又如以日干知時干而用時干推干德符則日時相因而制用也宜與論月建篇參考○輟耕錄二十甲巳土乙庚金丁壬木丙辛水戊癸火此十干化五行真氣也其法取歲首月建之干如

甲巳丙作首丙屬火火生土故化土餘倣此又一説亦通謂遇龍則化龍辰也甲巳得戊辰戊屬土故化土乙庚得庚辰庚屬金故化金丙辛以下皆然○圖翼曰十二肖者謂十二宮中惟龍善變而屬辰値九十干起甲但至辰宮即隨其所遇之干而與之俱變矣如甲巳干頭起於甲子至辰屬戊戊爲土此甲巳之所以化土也乙庚干頭起於丙子至辰屬庚庚爲金此乙庚之所以化金也丙辛干頭起於戊子至辰屬壬壬爲水此丙辛之所以化水也丁壬干頭起於庚子至辰屬甲甲爲木此丁壬之所以化木也戊癸干頭起於壬子至辰屬丙丙爲火此戊癸之所以化火也此又五運之遇龍而變者也又一説謂甲剛木配巳柔土爲夫婦而成土運乙柔木嫁庚剛金而成金運丁陰火配壬陽水而成木運丙陽火娶辛柔金而成水運戊陽土娶癸陰水而成火運此三説者義各不同今並存之以備參校△三説者月建之法十二肖之説又一説○徐氏鍼灸大全卷之五曰甲與巳合乙與庚合丙與辛合丁與壬合戊與癸合也何

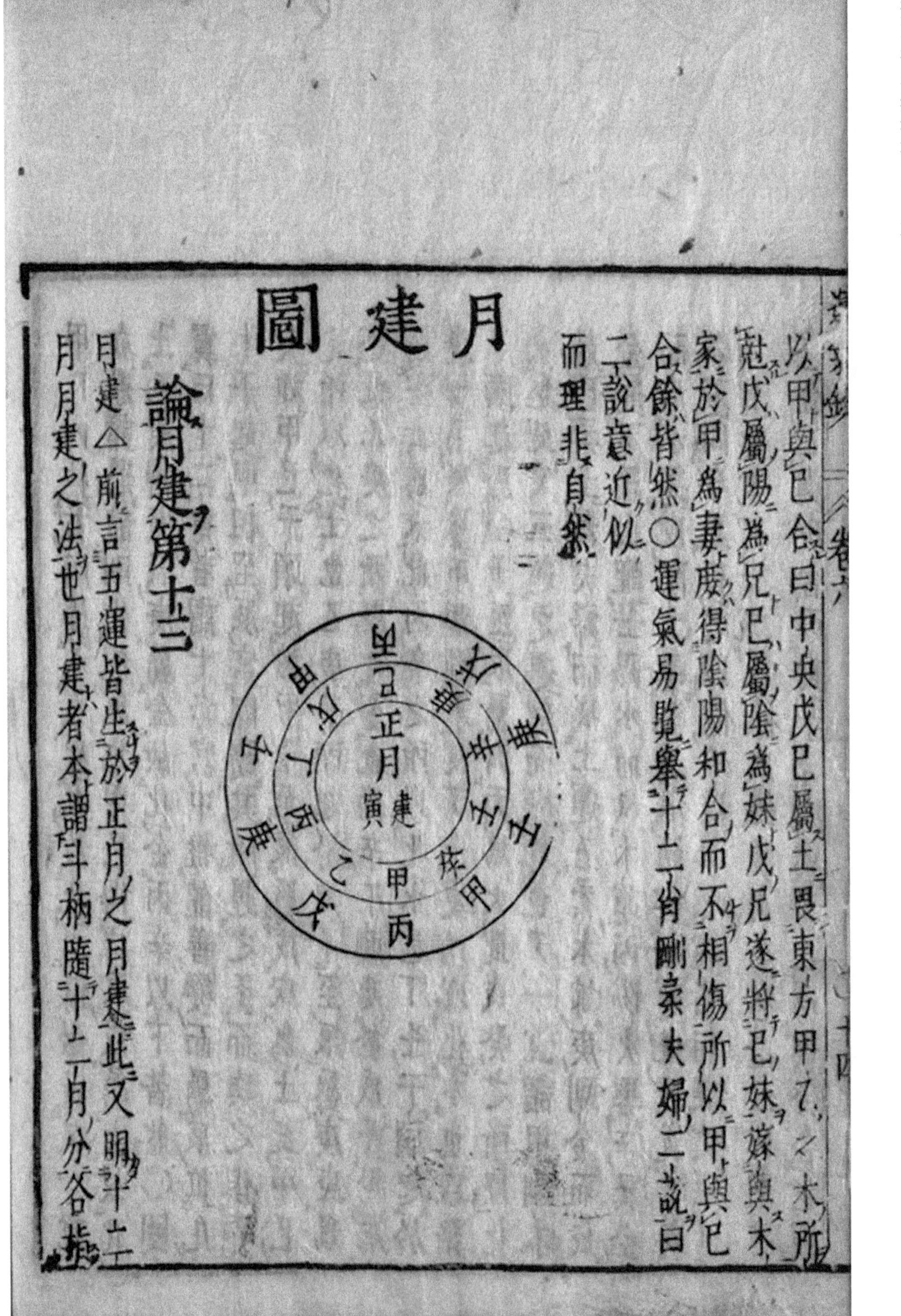

以甲與巳合曰中央戊巳屬土畏東方甲乙木所尅戊屬陽為兄巳屬陰為妹戊兄遂將巳妹嫁與木家於甲為妻庶得陰陽和合而不相傷所以甲與巳合餘皆然○運氣易覽舉十二肖剛柔夫婦二説曰二説意近似而理非自然

月建圖

論月建第十三

月建△前言五運皆生於正月之月建此文明十二月月建之法也月建者本謂斗柄隨十二月分各指

十二支位即其月氣令所王之方如正月寅二月卯是也△論語蒙引曰斗柄於夜初昏隨十二月分各指十二月辰位建者立也柄之所竪也令之所謂月建是也從此上來以初昏爲的斗柄一日一夜周十二辰位但以初昏爲的此篇以配十干於十二月又爲月建有假於十二月斗建之義意然所配十干之位多不合於斗建之方如正月斗建寅爲東方而甲已歳正月干起丙丙爲南方方角甚懸隔不知何謂故以建字直爲斗建之建則不的當矣考廣韻建有置訓今月建者每歳置十干於寅上相次月置之故曰月建論曰乃用十干建於寅上者是也閒有月干合於斗建者斗建之義亦不可不相須矣按爾雅釋天曰月在甲曰畢在乙曰橘在丙曰修在丁曰圉在戊曰厲在己曰則在庚曰窒在辛曰塞在壬曰終在癸曰極觀此則月建之法其來尚矣

夫十二支爲十二月則正月寅二月卯是也甲已之歳

正月建丙寅乙庚之歲正月建戊寅丙辛之歲正月建
庚寅丁壬之歲正月建壬寅戊癸之歲正月建甲寅乃
用十干建於寅上觀其法甲子年爲首亦用六十甲子
丙初見者先建之次見者次建之故丙寅爲初戊寅爲
次依先後循而轉之可見也前六十甲子納音圖中立
位既終復轉於其上以終其紀者明矣此言月建起例也○十二支爲
十二月則正月寅二月卯是也△言以十二支配爲
十二月則正月中寅二月中卯餘月順數之每年相
同○甲巳之歲正月建丙寅乙庚之歲正月建戊寅
丙辛之歲正月建庚寅丁壬之歲正月建壬寅戊癸
之歲正月建甲寅△言配十干於十二月所起因運
各不同甲巳土運之歲正月之建爲丙寅乙庚金運

之歲正月之建為戊寅丙辛水運之歲正月之建為庚寅丁壬木運之歲正月之建為壬寅戊癸火運之歲正月之建為甲寅此正月每年支同而干不同如正月所起干則二月三月等干逐十干序順數之如甲己之歲正月起丙則二月丁三月戊四月己五月庚六月辛七月壬八月癸九月甲十月乙十一月丙十二月丁是也餘歲倣此○乃用十干建於寅上△十干者丙戊庚壬甲也△建廣韻置也△言如甲己之歲正月建丙寅乃用丙干建於正月寅上也餘皆準之○其法△月建之法○甲子年為首亦用六十甲子丙初見者先建之次見者次建之故丙寅為初戊寅為次△言月建者從五運而起則甲子年為首相次而數之又月建之次用六十甲子如寅之一辰起於丙寅丙為初見乃以其初見者先建之於甲子年正月寅上其次見者戊也乃以戊建之於乙丑年正月寅上由是推之則丙寅戊寅庚寅壬寅甲寅為次故丙寅為初戊寅為次也○依先後循而轉之可見也△先後丙戊庚壬甲先後之次第△循循匕之也

△轉字彙運也△見見月建之法也○前六十甲子
納音圖中五位△前者上卷△五位納音圖中有三
十位其中立丙寅戊寅庚寅壬寅甲寅之五位也○
既終復轉於其上以終其紀者明矣△終者始於丙
寅終於甲寅也△復轉於其上丙戊庚壬甲復轉於
寅云也△紀六十甲子一周也△後漢書律歷志曰
終六旬謂之紀△言自丙寅至於甲寅復轉於丙寅
則終六十甲子紀復轉之也以納音之圖見之則既
終復轉於其上以
終其紀者明矣

建時貼用日干同法　建時者謂以十干配於十二時△
貼字彙依附也又粘置也△言月
建依年干起之如甲己年起丙寅之類已論於前矣
建時亦用日干起之甲己日起甲子之類是也故曰
同法△星宗大全卷之一入門起例日上起時　甲
己起甲子　乙庚起丙子　丙辛起戊子　丁壬起
庚子　戊癸起壬子　如己日卯時生即子時起甲子
順輪卯時是丁卯也餘倣此推

若五運陰年不及之歲大寒日交初氣其日時建干與年干合者謂之曰干德符當為平氣非過與不及也略舉此以明其用而已若五運陰年不及之歲云非過與不及也△言五運陰年不及之歲其年氣虛不平若其年交大寒日干與年干合則謂之曰干德符是日干德符也或曰干不合而交大寒時干與年干合者謂之又曰干德符是時干德符也皆當為平氣此不及之歲得日時同氣之助而其氣平自至於無太過不及也△平氣者氣無太過不及生長化收藏之化齊修也△六節藏象論帝曰平氣何如岐伯曰無過者也張註過過失之謂凡太過不及皆為過也△五常政大論曰生而勿殺長而勿罰化而勿制收而勿害藏而勿抑是謂平氣○略舉此以明其用而已△此者謂干德符△干德符詳義見本書第二十二篇故曰略舉此△其者指建時而言△言時干德符者出於建時之用不知時干則不可

推之故藥此
以明其用也

論天地六氣第十四

圖在主氣客氣文內

天地六氣△天六氣地六氣天六氣者客氣也地六氣者主氣也○圖在主氣客氣文內△主氣之圖客氣之圖俱在下即是天地六氣之圖也故曰圖在主氣客氣文內此篇則言主氣客氣始終之因

經曰天地合氣六節分而萬物化生矣然地列五行者言其用也分支於十二負五行陰陽之氣以布八方蓋天氣降而下則地氣遷而上咸備五行之化氣然後合其用觀萬物未嘗不因天地之氣而化生之也 此先叙天氣地

氣之用也○經曰天地合氣六節分而萬物化生矣
△經素問至眞要大論△張註天氣下降地氣上升
會於氣交是謂合氣由是六節氣分而萬物化生無
窮矣○然地列五行者言其用也△此五行者六氣
也△地列五行謂地分六位△其者指天地而言○
分支於十二自五行陰陽之氣以布八方△支十二
支△十二支之數十二△五行陰陽者五行本陰陽
故曰五行陰陽△大學或問大全曰未有五行只得
兩儀陰陽既有五行則陰陽在五行之中矣△讀書
錄十五行固有陰陽就水木火金土上又各有陰
陽如水陰也其質屬陰其氣屬陽之類△又讀書續
錄三五行之氣只是陰陽二氣而陰陽二氣又只是
一氣分動靜耳△言水木火金有定位居四方水爲
子陽亥陰布列於北方木爲寅陽卯陰布列於東方
火爲巳陰午陽布列於南方金爲申陽酉陰布列於
西方土無定位居四維爲辰戌之陽布列於東南西
北爲丑未之陰布列於東北西南故曰五行陰陽之
氣以布八方○蓋天氣降而下則云云未嘗不因天

地之氣而化生之也△此釋上文天地合氣六節分而萬物化生矣之義△天氣降而下則地氣遷而上天氣降地氣升一升一降而生萬物也△六元正紀大論曰上勝則天氣降而下下勝則地氣遷而上△咸備五行之化氣然後合其用天有五行之化氣客氣是也地有五行之化氣主氣是也天地咸備五行之化氣然後合其氣化之用也△觀萬物未嘗不因天地之氣而化生之也天地合其用而萬物化生觀天地之間所在萬物無不因天地陰陽之氣而化生者也△易下繫辭曰天地之大德曰生

地之氣靜而常天之氣動而變其六氣之源則同六氣之緒則異何哉蓋天之氣始於少陰而終於厥陰經曰少陰所謂標厥陰所謂終是也地之氣始於厥陰木而終於太陽水經曰顯明之右君火之位者其緒是也此言

主氣之始終客氣之始終也○地之氣△主氣○靜而常△圖翼主氣圖解曰主氣者地氣也在地成形靜而守位謂木火土金水分主四時而司地化以爲春夏秋冬歲之常令者是也○天之氣△客氣○動而變△圖翼客氣圖解曰客氣者天氣也在天爲氣動而不息乃爲天之陰陽分司天在泉左右四間之六氣者是也○其六氣之源則同六氣之緒則異何哉△其者總指主氣客氣△六氣之源三陰三陽也三陰三陽則主氣客氣之根源故爲六氣之源△六氣之緒謂三陰三陽六者端緒發見於天爲客氣始於少陰終於厥陰發見於地爲主氣始於厥陰終於太陽也△毛詩閟宮篇曰奄有下土纘禹之緒纘緒業也鄭箋事也○天之氣始於少陰而終於厥陰△言客氣始於少陰君火而終於厥陰風木也◎經曰少陰所謂標厥陰所謂終是也△天元紀大論曰少陰所謂標也厥陰所謂終也張註標首也終盡也六十年陰陽之序始於子午故少陰謂標盡於巳亥故厥陰謂終○地之氣始於厥陰木而終於太陽水△

言主氣始於厥陰風木而終於太陽寒水也○經曰顯明之右君火之位者其緒是也△經六微旨大論△顯明之右君火之位等義詳見上卷論文六氣時位篇△其者指主氣而言

然不同之緒乃天真地元二氣相因而成焉

自此以下言天地之氣始終不同之端緒也○天眞△天六元○地元△地六氣△天元紀大論曰氣眞靈總統坤元△天之氣因地十二支以爲始終地之氣因天時風熱暑濕燥寒以爲始終故曰天眞地元二氣相因而成焉下文所謂天之六元氣反合地十二支以五行正化對化爲其緒地之六氣反合天之四時風熱暑濕燥寒爲其緒者是也詳見下

故天之六元氣反合地十二支以五行正化對化爲其緒則少陰司子午太陰司丑未少陽司寅申陽明司卯

再太陽司辰戌厥陰司巳亥天氣始終之因如是而已

此言天氣始終之因也○六元△六氣也△天元紀大論曰厥陰之上風氣主之少陰之上熱氣主之太陰之上濕氣主之少陽之上相火主之陽明之上燥氣主之太陽之上寒氣主之所謂本也是謂六元張註三陰三陽者由六氣之化爲之主而風化厥陰熱化少陰濕化太陰火化少陽燥化陽明寒化太陽故六氣謂本三陰三陽謂標也然此六者皆天元一氣之所化一分爲六故曰六元○氣反合地十二支△氣氣類或以氣字着六元亦可也○以五行正化對化爲其緒△正化對化者五行之化故曰五行正化對化又此五行者謂十二支即地之五行也△正化對化之義見論客氣篇宜與此章參考○因△因緣

地之六氣反合天之四時風熱暑濕燥寒爲其緒則厥陰風木主春少陰君火主春末夏初少陽相火主夏太

陰濕土主長夏陽明燥金主秋太陽寒水主冬地氣終始之因如是而已

此言地氣始終之因也○天之四時風熱暑濕燥寒△風熱暑濕燥寒者四時天度之常令故曰天之四時風熱暑濕燥寒宜參卷論主氣篇○醫學綱目四十天氣以風暑濕火燥寒爲序而濕居火前地氣以木火土金水爲序而土居火後夫濕土一氣其位不同何也在天爲氣故天以三陰三陽之氣多少爲序在地成形故地以五行之形相生爲序其以氣多少爲序者從少漸多則陰之序始厥陰厥陰者一陰也次少陰少陰者二陰也終太陰太陰者三陰也陽之序始少陽少陽者一陽也次陽明陽明者二陽也終太陽太陽者三陽也此則天氣以陰陽之多少爲序而濕居火前也其以形之相生爲序者生生不已則其氣始於木初之氣木生火故君火爲二之氣相火爲三之氣火生土故土爲四之氣土生金故金爲五之氣金生水故水爲終之氣而復生木此則地氣以五行之相生爲序而

土居火後也王太僕以少陽次太陽陳
無擇以濕土生相火可謂不害經旨矣

經曰天有陰陽地亦有陰陽者乃上下相臨也應天氣
動而不息故五歲而右迁應地氣靜而守位天氣不加
於君火則五歲而餘一氣右迁相火之上以君火不立
歲故也地之紀五歲一周天之紀六朞一備五歲一周
則五行之氣遍六朞一備則六氣之位周與干加支之
緒小同取陰陽相錯上下相乘畢其紀之之意也以五
六相合故三十年一紀之則六十年矣此引天元紀大論之文間雜於
王注而言天有六氣地有五位天以六氣臨地地以
五位承天也○經曰天有陰陽地亦有陰陽△天元

紀大論曰天有陰陽地亦有陰陽故陽中有陰陰中
有陽張註天本陽也然陽中有陰地本陰也然陰中
有陽此陰陽互藏之道如坎中有奇離中有偶水之
内明火之内暗皆是也惟陽中有陰故天氣得以下
降陰中有陽故地氣得以上升此即上下相召之本
○乃上下相臨也△天以六氣臨地地以五位承天
之意○應天氣動而不息故五歳而右迁應地氣静
而守位△迁經作遷△韻會遷字下俗作迁非△天
元紀大論曰所以欲知天地之陰陽者應天之氣動
而不息故五歳而右遷應地之氣静而守位故六朞
而環會張註應天之氣五行之應天干也動而不息
以天加地而六甲周旋也五歳而右遷天干之應也
即下文甲己之歳土運統之之類是也蓋甲乙丙丁
戊竟五運之一周己庚辛壬癸又五運之一周甲在
遷而己來己右遷而甲來故五歳而右遷也應地之
氣六氣之應地支也静而守位以地承天而地支不
動也六朞而環會地支之周也即下文子午之歳上
見少陰之類是也蓋子丑寅卯辰巳終六氣之一備

午未申酉戌亥又六氣之一備終而復始故六朞而
環會△王氏注劉温舒之所據見下文○天氣不加
於君火則五歲而餘一氣右迁相火之上以君火不
立歲故也△於字衍文也△王注天有六氣地有五
位天以六氣臨地地以五位承天蓋以天氣不加君
火故也以六加五則五歲而餘一氣故遷一位若以
五承六則常六歲乃備盡天元之氣故六年而環會
所謂周而復始也地氣左行往而不返天氣東轉常
自火運數五歲已其次氣正當君火氣之上法不加
臨則右遷君火氣上以臨相火之上故曰五歲而右
遷也由斯動靜上下相臨而天地萬物之情變化之
機可見矣△言天氣有六而主運則以君火不當運
不加之故天氣五歲而一氣餘少陰君火是也其所
餘者右遷以臨少陽相火之上乃相火代君火而用
事也△君火不立歲者言少陰君火不立五運之化
也△至眞要大論曰少陰司天爲熱化在泉爲苦化
不司氣化張註君不司運也夫五運六氣之有異者
運出天干故運惟五氣出地支故氣有六五者五行

各一也六者火分君相也故在六氣則有君火相火所主之不同而五運則火居其一耳於六者而缺其一則惟君火獨不司五運之氣化正以君火者太陽之火也為陽氣之本為萬化之原無氣不司故不司氣化也△天元紀大論君火以明相火以位張註愚按王氏注此曰君火在相火之右但立名於君位不立歲氣又曰以名奉天故曰君火以名守位稟命故曰相火以位詳此說是將明字改為名字則殊為不然此蓋因至真要大論言少陰不司氣化故引其意而云君火不立歲氣殊不知彼言不司氣化者言君火不主五運之化非言六氣也如子午之歲上見少陰則六氣分主天地各有所司何謂不立歲氣且君為大主又豈寄空名於上者乎以致後學宗之皆謂君火以名竟將明字滅去大失先聖至要之旨云△按溫舒不言歲氣惟言歲又論南北政篇曰君火不當其運以此觀之則歲一字為五運明矣與王氏失先聖至要之旨說相反○地之紀五歲一周天之紀六朞一備△地之紀地氣之綱紀經無之字△天之

紀經作天氣△天元紀大論帝曰上下周紀其有數乎鬼臾區曰天以六為節地以五為制張注天數五而五陰五陽故為十干地數六而六陰六陽故為十二支然天干之五必得地支之六以為節地支之六必得天干之五以為制而後六甲成歲氣備又如子午之上為君火丑未之上為濕土寅申之上為相火卯酉之上為燥金辰戌之上為寒水巳亥之上為風木是六氣之在天而以地支之六為節也甲己為土運乙庚為金運丙辛為水運丁壬為木運戊癸為火運是五行之在地而以天干之五為制也此以地支而應天之六氣以天干而合地之五行正其上下相召以合五六之數也周天氣者六朞為一備終地紀者五歲為一周天之六氣各治一歲故六朞為一備地之五行亦各治一歲故五歲為一周○一日當作周天氣者六為句終地紀者五為句亦通謂一歲六氣各主一步步各六十日六六三百六十日是周天氣者六也故朞為一備一歲五行各主一運運七十二日五七三百五十二五一十亦三百六十日是終

地紀者五也故歲為一周此以五歲之五六為言以合下文一紀一周之數尤見親切○五歲一周則五行之氣遍六朞一備則六氣之位周△言五歲為一周五運遍周六朞為一備六氣遍周也△王注五歲為一周六年為一備備謂備歷天氣周謂周行地位○與干加支之緒小同△小字衍或為字之誤△言五陰五陽為十干六陰六陽為十二支然天干之五加地支之六而後六甲成歲氣備與天以六為節地以五為制五六相合周歲之理頗同故曰與干加支之緒同△圖翼氣數紀論曰從天用干則五自一候五陰五陽而天之所以有十干甲戊以陽變巳癸以陰變五之變也從地用支則六自一變六剛六柔而地之所以有十二支子巳以陽變午亥以陰變六之變也十干以應日十二支以應月故一年之月兩其六一月之日六其五○取陰陽相錯上下相乘畢其紀之之意也△天之陰陽下加地氣共治歲地之陰陽上臨天氣共治步故曰陰陽相錯上下相乘△天元紀大論曰動靜相召上下相臨陰陽相錯而變由

生也△其者指天地而言△紀周紀又天地之紀△
之字重複當去一之字△天元紀大論曰上終天氣
下畢地紀○以五六相合故三十年一紀△天元紀
大論曰五六相合而七百二十氣為一紀凡三十歲
張註天以六朞為備地以五歲為周周餘一氣終而
復會如五个六三十歲也六个五亦三十歲也故五
六相合而七百二十氣為一紀凡三十歲也然此以
大數言之耳君詳求之則三十年之數正與一歲之
度相合蓋一歲之數凡三百六十日六分分之為六个
氣各得六十日也五分分之為五運各得七十二日
也七十二分分之為七十二候各得五日也三十年
之數凡三百六十月六分分之各得六十月五分分
之各得七十二月七百二十分分之各得十五日是
為一氣又曰一節此五六之大會而元會運世之數
皆自此起故謂之一紀又謂之一世○之則六十年
矣△之字彙適也往也△言三十年過之則六十年
而為一周也△天元紀大論曰千四百四十氣凡六十
十歲而為一周不及太過斯皆見矣張註以三十年

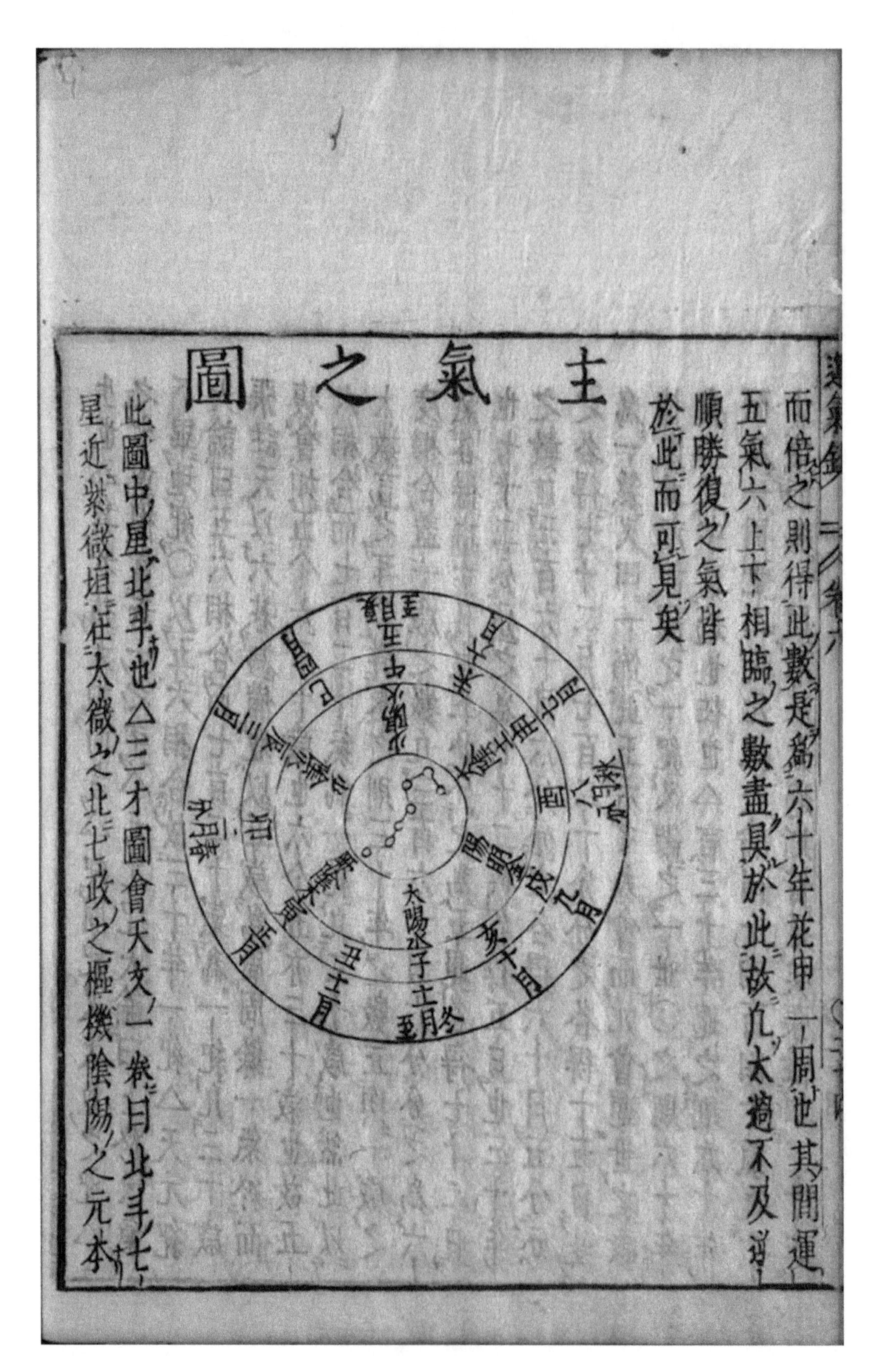

而倍之則得此數是爲六十年花甲一周也其間運五氣六上下相臨之數盡具於此故凡太過不及逆順勝復之氣皆於此而可見矣

主氣之圖

此圖中星北斗也△三才圖會天文一卷曰北斗七星近紫微垣在太微之北七政之樞機陰陽之元本

也故運乎天下而臨計四方以建四時而均五行齊節度定綱紀也魁四星為璇璣杓三星為玉衡天象號令之主是為帝車取乎運動之義也又魁第一星曰天樞二曰璇三曰機四曰權五曰玉衡六曰開陽七曰揺光一至四為魁五至七為杓樞為天璇為地機為人權為時玉衡為音開陽為律揺光為星△事林廣記北斗樞星貪狼璇星巨門璣星祿存權星文曲衡星廉貞開陽武曲揺光破軍△困學紀聞九徐整長曆曰北斗七星間相去九千里皆在日月下其二陰星不見者相去八千里△三才統宗曰北斗星帶火色主天下荒旱△同觀七星看收成法年除夜或十二月十五夜但觀北斗七星明暗以知五色用苗隨色明暗明者多種暗者少種貪狼星明者種禾粟大收巨門星明者種麻粟有收祿存星明者種粳稲豆粟大收文曲星明者宜種大麥麻黍廉貞星明者宜種稲麥麻豆武曲星明者宜種大小豆稲破軍星明者宜小麥大豆

論主氣第十五

主氣△圖翼二卷曰六氣分主四時歲歲如常故曰
主氣△醫經會元曰主氣者乃一年中春溫夏熱長
夏暑昬秋涼冬寒之常度也△主亭主之義言春溫
夏暑秋涼冬寒之氣常住不易譬如亭主不去我亭
也△按楞嚴經曰譬如有客寄宿旅亭暫止便去終
不常住而掌亭人都無所去名為亭主和俗謂家主
人呼為亭主蓋出於此△素問標本病傳論曰同氣
張註同氣者四時之主氣也歲歲相同故曰同氣

地氣靜而守位則春溫夏暑秋涼冬寒為歲歲之常令
四時為六氣之所主也此皆分言主氣之氣象也△言主氣為地氣地氣靜而守六步
之位則春溫夏暑秋涼冬寒者年年不易為
四時之化此乃地六氣之所主所謂主氣也

厥陰木為初氣者方春氣之始也木生火故少陰君火
少陽相火次之火生土故太陰土次之土生金故陽明

金次之金生水故太陽水次之皆相生而布其令莫不
咸有緒焉○此以五行相生之理明主氣之次第由緒也
○厥陰木爲初氣者方春氣之始也△言主
氣厥陰風木爲初氣者厥陰風木主春分前六十日
有奇方春氣之始也春爲木故厥陰風木主此時又
爲初氣也△圖翼曰厥陰木之所以主初氣者以春
木爲方生之始也○木生火故少陰君火少陽相火
次之△圖翼曰君相以同氣相隨故少陽相火繼君
火○皆相生而布其令△言六氣皆相生而布其氣
令也△圖翼曰主氣以五行相生爲序而太陰土所
以居少陽火之後也○莫不咸有緒焉△緒由緒
木爲初氣主春分前六十日有奇自斗建丑正至卯之
中天度至此風氣乃行也君火爲二氣主春分後六十
日有奇自斗建卯正至巳之中天度至此暄淑乃行也

相火為三氣主夏至前後各三十日有奇自斗建巳正至未之中天度至此炎熱乃行也土為四氣主秋分前六十日有奇自斗建未正至酉之中天度至此雲雨乃行濕蒸乃作也金為五氣主秋分後六十日有奇自斗建酉正至亥之中天度至此清氣乃行萬物皆燥也水為六氣主冬至前後各三十日有奇自斗建亥正至丑之中天度至此寒氣乃行也此言主氣之時分氣化也㊀六十日有奇△運氣易覽注奇八十七刻半㊀自斗建丑正至卯之中△斗北斗建論語蒙引建者立也柄之所堅也和訓尾左須言北斗之尾指也尾者所謂破軍星北斗七星之杓也杓北斗之柄十二月每夜初昏杓各指其月辰

位謂之斗建又斗建有昏則杓夜半衡平旦魁指其
月方之說△楚辭九歌集註北斗七星在紫宮南其
杓所建周於十二辰之舍以定十有二月斟酌元氣
運乎四時者也△論語衛靈公篇大全雙峯饒氏曰
天象難捉摸只有初昏可見日已落星初明於是時
推測方有定若其他時候周流四方無可捉摸凡測
星辰都用初昏測日景却用日中△漢書卷之二十
六天文志曰北斗七星所謂旋璣玉衡以齊七政杓
攜龍角孟康曰杓斗柄也龍角東方宿也攜連也衡
殷南斗魁枕參首晉灼曰衡斗之中央殷中也用昏
建者杓杓自華以西南孟康曰傳曰斗第七星法太
白主杓斗之尾也尾為陰又其用昏昏陰位在西方
故主西南方夜半建者衡衡殷中州河濟之間孟康
曰假令杓昏建寅衡夜半亦建寅也平旦建者魁魁
海岱以東北也孟康曰傳曰斗魁第一星法為日主
齊魁斗之首首陽也又其用在明陽與明德在東方
故主東北方斗為帝車運于中央臨制四海分陰陽
建四時均五行移節度定諸紀皆繫於斗△圖翼一

卷手綱解云一歲四時之候皆統於十二辰十二辰者以手綱所指之地即節氣所在之處也正月指寅二月指卯三月指辰四月指巳五月指午六月指未七月指申八月指酉九月指戌十月指亥十一月指子十二月指丑謂之月建天之元氣無形可觀觀手建之辰即可知矣手有七星第一曰魁第五曰衡第七曰杓此三星謂之手綱假如正月建寅昏則杓指寅夜半衡指寅平旦魁指寅餘月倣此△丑正與丑之中同正中二字互文正中者於方則正方於月則中氣也丑正之解在下△卯之中二月中春分○天度至此風氣乃行也△天度天令之節度△此者此時丑正與卯之中之際△風氣厥陰風木之化也○自手建卯正至巳之中△卯正與卯之中同△巳之中四月中小滿○天度至此暄淑乃行也△此者卯正與巳之中之際也△暄淑少陰君火之化也○相火爲三氣主夏至前後各三十日有奇△有奇者四十三刻四十五分夏至前後各三十日有奇自四月中氣小滿至六月中氣大暑總之爲六十日八十七

刻半○自斗建巳正至未之中△巳正與巳之中同△未之中六月中大暑○天度至此炎熱乃行也△此者巳正與未之中之際也△炎熱少陽相火之化也○自斗建未正至酉之中△未正與未之中同△酉之中八月中秋分○天度至此雲雨乃行濕蒸乃作也△此者未正與酉之中之際也△雲雨濕蒸皆太陰濕土之化在天雲雨乃行在地濕蒸乃作也△圖翼行作盛○自斗建酉正至亥之中△酉正與酉之中同△亥之中十月中小雪○天度至此清氣乃行萬物皆燥也△此者酉正與亥之中之際也△清氣清涼之氣又微風也見文選三十九注△清氣行而萬物皆燥陽明燥金之化也○水爲六氣主冬至前後各三十日有奇△言太陽寒水爲六之氣自十月中氣小雪至十二月中氣大寒主冬至前後各三十日有奇也有奇解在相火抄○自斗建亥正至丑之中△亥正與亥之中同△丑之中十二月中大寒○天度至此寒氣乃行也△此者亥正與丑之中之際也△寒氣太陽寒水之化也

六位旋相主氣以成一歲則天之六氣每歲轉居於其上以行天令者也其交日時前已具載矣 此一篇之結語○六位△六元正紀大論曰從者和逆者病不可不敬畏而遠之所謂時與六位也張註位謂六步即客氣也△又六位六節之氣位謂主氣也見論交六氣時日篇○旋相△周旋助興也△六位旋相主氣以成一歲者天客氣旋相地主氣以成一歲也△運氣易覽作六氣旋相以成一歲之主氣也○天之六氣△客氣○每歲轉居於其上△如子午年少陰君火司天陽明燥金在泉司天左間太陰右間厥陰在泉左間太陽右間少陽年年如此不同此每歲轉之謂△其者指主氣而言△每年司天居於三之氣上在泉居於終之氣上司天左間居於四之氣上右間居於二之氣上在泉左間居於初之氣上右間居於五之氣上此客氣居於其上也○以行天令者也△客氣主氣二者以行天之氣令者也或以天令屬客氣△運氣

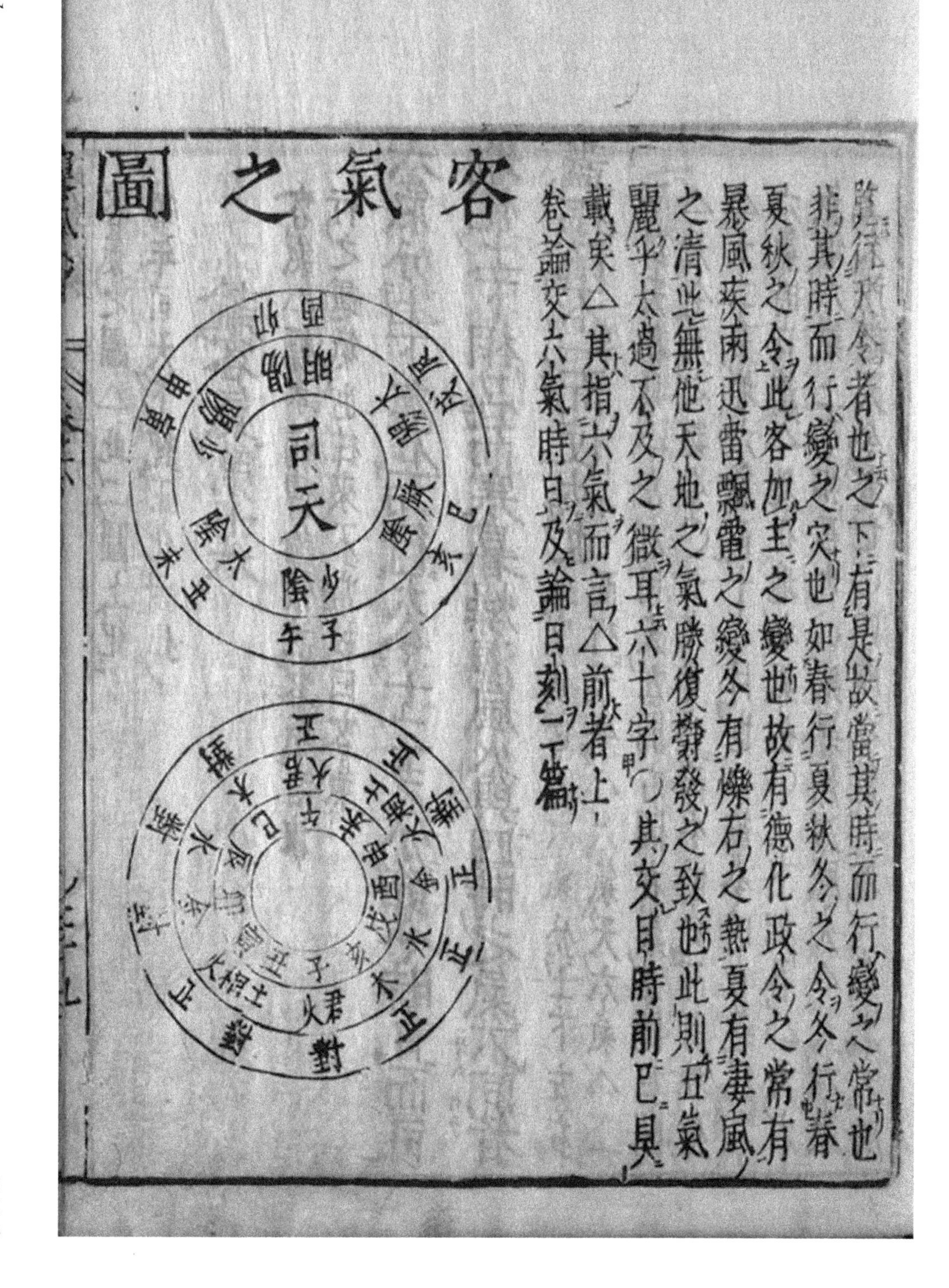

所行天令者也之下有是故當其時而行變之常也非其時而行變之災也如春行夏秋冬之令冬行春夏秋之令此客加主之變也故有德化政令之常有暴風疾雨迅雷飄電之變冬有爍石之熱夏有凄風之清此無他天地之氣勝復鬱發之致也此則五氣麗乎太過不及之微耳六十字〇其交日時前已具載矣△其指六氣而言△前者上卷論交六氣時日及論日刻二篇

客氣之圖△此二圖上紀

每年司天下紀正化對化

論客氣第十六

客氣△標本病傳論張註客氣者流行之運氣也往來不常故曰客氣

六氣分上下左右而行天令十二支分節令時日而司地化上下相召而寒暑燥濕風火與四時之氣不同者蓋相臨不一而使然也

此序分也○六氣分上下左右而行天令△六氣天六氣△上下以司天在泉△左右司天左間右間在泉左間右間△天令天之氣令○十二支分節令時日而司地化△十二支地六氣司十二月也△節令時日義見文六氣時日篇△地化地之氣化○上下相召△天六氣地六氣上下相召也○寒暑燥濕風火△天六氣上文所謂天令者也○四時之氣△地六氣上文所

謂地化者也○蓋相臨不一而使然也△言客氣相
臨主氣不一而使之不同也主氣循環有常客氣顯微
無定
矣

六氣司於十二支者有正對之化也然厥陰所以司於
巳亥者何也謂厥陰木也木生於亥故正化於亥對化
於巳也雖有卯爲正木之分乃陽明金對化也所以從
生而順於巳也少陰所以司於子午者何也謂少陰爲
君火尊位所以正得南方離位故正化於午對化於子
也太陰所以司於丑未者何也謂太陰爲土土屬中宮
寄於坤位西南居未分也故正化於未對化於丑也少

陽所以司於寅申者何也謂少陽相火位卑於君火也雖有午位君火居之火生於寅故正化於寅對化於申也陽明所以司於卯酉者何也謂陽明爲金酉爲西方西方屬金故正化於酉對化於卯也太陽所以司於辰戌者何也謂太陽爲水雖有子位以居君火對化一本於此處云則居辰戌辰戌屬土故水惟土用孟子曰水由地中行斯可見矣水乃伏土中卽六戊天門戌是也六己地戶辰是也故水惟土用正化於戌對化於辰也此玄珠之說已詳矣莫不各有因焉此天之陰陽合地

之十二支動而不息者也此言正化對化之義也○六氣司於十二支者有正對之化也△言六氣有六而司於十二支者每氣有正化對化故云六氣司於十二支六者分十二年也○然△自此以下言六氣司於十二支有正對之化也○厥陰所以司於巳亥者何也△言巳亥年厥陰風木司天其理何哉△司者便司夫之義○謂厥陰木也△厥陰之本木也○木生於亥故正化於亥對化於巳也△亥者水木生在亥水生木之義故厥陰風木正化於亥以對亥之巳為對化也△正化者六氣各司於有緣之支或所生或同氣皆正當其化故曰正化對化者對正化而同順其化故曰對化○雖有卯為正木之分乃陽明金對化也△言卯居東方為正木之分位厥陰風木當司之而卯為陽明燥金酉之對化故厥陰風木不司之也○所以△助語辭曰所以與是以同意事必有因故今如此○從生而順於巳也△從生者從木生也木生在亥故厥陰正化於亥乃從生也巳對於亥故厥陰對化順於巳也或以此

字爲亥字之誤亦通○少陰所以司於子午者何哉△言子午年少陰君火司天其理何哉○謂少陰爲君火尊位所以正得南方離位△言少陰爲君火其位尊君南面而嚮明且南方者火之所王故少陰君火正得南方離位△易説卦傳曰離也者明也萬物皆相見南方之卦也聖人南面而聽天下嚮明而治蓋取諸此也○故正化於午對化於子也△午南方離位故少陰君火正化於午以子對於午故對化於子也○太陰所以司於丑未者何也△言丑未年太陰濕土司天其理何哉○謂太陰爲土土屬中宮寄於坤位西南居未分也故正化於未對化於丑也△中宮中央也△言太陰爲濕土土屬中央寄位於四隅西隅中以西南爲主西南土并於南方火西方金而五行相生之理不已也西南坤位爲未申而土居未分故太陰濕土正化於未丑本屬土對於未故對化於丑也○少陽所以司於寅申者何也△寅申年少陽相火司天其理何哉○謂少陽相火位卑於君火也△圖翼作少陽屬相火位卑於君○雖有午位

君火居之△言午正南火之位少陽相火當司之而少陰君火居午位故少陽相火不司之也○火生於寅故正化於寅對化於申也△寅者木火生在寅木生火之義故少陽相火正化於寅以對寅之申為對化也○陽明所以司於卯酉者何也△卯酉年陽明燥金司天其理何哉○謂陽明為金酉為西方方屬金故正化於酉對化於卯也△言陽明為燥金酉於方則為西方西方屬金故陽明燥金正化於酉以卯對於酉故對化於酉也○太陽所以司於辰戌者何也△言辰戌年太陽寒水司天其理何哉○謂太陽為水雖有子位以居君火對化△言太陽為寒水子正北水之位太陽寒水當司之而子為少陰君火對化故太陽寒水不司之也○一本於此處云△一本以下細字後人所加也△一本運氣論奧一本也△此處謂君火對化之下水乃伏土中即云戌天門戌是也六己地戶辰是也故水惟土用等文△一本於此等文處外此云也便以緣其異○則居辰戌△則太陽寒水居辰戌也○辰戌屬土故水惟土用△

言辰戌本屬土而太陽寒水居之水必托土以正蓄土則遇水而滋潤水惟土用也故太陽寒水司於辰戌○孟子曰水由地中行△此引孟子以證水惟土用之義△孟子滕文公下當堯之時水逆行氾濫於中國云使禹治之禹掘地而注之海驅蛇龍而放之菹水由地中行江淮河漢是也趙岐注水流行於地而去也朱子集註地中兩涯之間也○斯可見矣△以孟子之文斯可見水惟土用之義矣○水乃伏土中即六戊天門戌是也六己地戶辰是也故水惟土用正化於戌對化於辰也△六戊者戊六己者己謂之六者凡十干六十日則各六周也△理數曰鈔十七三元經曰初出天門入地戶六戊也六己也△言水乃伏土中是以寒水居辰戌西方天門爲金生水之地水即漸生巳南方地戶爲水之所朝宗即海門也然辰巳連位以此觀之水之守土也審水惟土用故太陽寒水正化於戌對化於辰也○此玄珠之說已詳矣△此若結上文正化對化之義△玄珠玄珠密語書名也△古今醫統異醫通考上曰玄珠密語

十卷乃啓玄子王氷所述其自序謂得遇玄珠子而師事之與我啓蒙故自號啓玄子蓋啓問於玄珠也且曰玄珠密語乃玄珠子密而口授之言也及至王氏素問序乃云辭理秘密難粗論述者別撰玄珠以陳其道二序相戾意者玄珠之名取諸此莊子所謂黄帝遺玄珠使象罔得之之謂也△莊子天地篇曰黄帝遊乎赤水之北登乎昆侖之丘而南望還歸遺其玄珠使知索之而不得使離朱索之而不得使喫詬索之而不得乃使象罔象罔得之黄帝曰異哉象罔乃可以得之乎　希逸注此段言求道不在於聰明不在於言語而得經所謂以有思惟心求大圓覺如以螢火燒須彌山知難也一段説話如此玄珠道也知知覺也離朱明也喫詬言辯也象罔無心也知覺聰明言辯皆不可以得道必無心而後得之此等譬喻也自奇絶則師事玄珠子而號啓玄者皆妄也宋高保衡等校正内經乃云詳王氏玄珠世無傳者今之玄珠乃後人附托之文耳雖非王氏之書於素問十九卷二十四卷頗有發明令素問觀之而密語所

迷乃六氣之說與高氏所指諸卷全不相符疑必刊傳者所誤也原其所從蓋攙撰內經六微旨及至眞要等五篇緝天元玉冊要言而附會雜說其諸紀述運氣休祥之應未必可徵實偽書也苟啓玄別撰果見於世又豈止述運氣之一端而已覽者取其長而去其短可也△此玄珠之說已詳矣圖翼依此說詳具玄珠今錄之以備參考○莫不各有因焉△言六氣司於十二支莫不各有因緣也○此天之陰陽合地之十二支動而不息者也△此者結上文△天之陰陽天三陰三陽△地之十二支十二支也十二支為地故曰地之十二支△動而不息解在論六氣時曰篇鈔出○上文正化對化之說獨說正化之緣而不及於對化對化則止對正化而化其氣耳問正化對化皆十二支也何某支為正化某支為對化答曰正化對化者後世之異說非內經旨也其說多牽合附會攙氏所以破之也某為正化某為對化不知何故矣大抵其意且定正化對化只對正化而化其氣也故醫學入門曰自其對衝定位言之子對午而為少

陰君火丑對未而為太陰濕土申對寅而為少陽相火卯對酉而為陽明燥金辰對戌而為太陽寒水巳對亥而為厥陰風木其有對者逆思録曰天地萬物之理無獨必有對皆自然而然非有安排也蓋此意乎又後人為説曰子對午而為少陰君火者子本水而北方坎卦陰中有陽況水中火昭然可見故子對午而為君火丑對未而為太陰濕土者丑未本皆土也然未西南土之所生丑雖土位非土之所生故丑為未之對化申對寅而為少陽相火者申本金而金入於猛火成瑕煉之器故申對寅而為相火卯對酉而為陽明燥金者卯本木而木得金斲以成斧削之材故卯對酉而為金辰對戌而為太陽寒水者辰戌皆土水惟土用故二者皆為水然戌天門辰地戸天尊地卑故辰為戌之對化巳對亥而為厥陰風木者巳本火而木生火巳與亥子也故巳為亥之對化此説甚失於穿鑿而可補此篇之意故載之○少陰司於子午太陰司於丑未少陽司於寅申陽明司於卯酉太陽司於辰戌厥陰司於巳亥者本出五天之氣而後

世不察之妄鑿造正化對化之名出五天之氣本論詳見五天之氣篇鈔引醫學綱目中○又醫學綱目或曰近世獨以五運之化爲出五天之象六氣之化不言五天之象祖將正化對化立說以土正化於未對化於丑金正化於酉對化於卯水正化於戌對化於辰木正化於亥對化於巳君火正化於午對化於子相火正化於寅對化於申文以未酉戌亥午寅之正化爲實無勝復丑卯辰巳子申之對化爲虛有勝復今予所釋經文一以運氣之化皆出五天之氣與彼說異者何也曰經旨皎如日星好事者鑿此正化對化之說也謹按經文帝悉隱五運之干六氣之支之併設問非獨問五運不及六氣也岐伯之答亦以五天之象所經星宿之併答五運之干六氣之支非獨答五運而分出六支不答也今何爲不究經旨擅將運氣分作二義妄撰正化對化異說上亂聖經下惑後學而作軒岐之罪人也○素問五運行大論黃帝坐明堂始正天綱臨觀八極考建五常請天師而問之曰論言天地之動靜神明爲之紀陰陽之升降寒暑彰

其兆余聞五運之數于夫子夫子之所言正五氣之
各主歳耳首甲定運余因論之鬼臾區曰土主甲己
金主乙庚水主丙辛木主丁壬火主戊癸子午之上
少陰主之丑未之上太陰主之寅申之上少陽主之
卯酉之上陽明主之辰戌之上太陽主之巳亥之上
厥陰主之不合陰陽其故何也岐伯曰是明道也此
天地之陰陽也夫數之可數者人中之陰陽也然所
合數之可得者也夫陰陽者數之可十推之可百數
之可千推之可萬天地陰陽者不以數推以象之謂
也帝曰願聞其所始也岐伯曰昭乎哉問也臣覽太
始天元冊文丹天之氣經于牛女戊分黅天之氣經
于心尾己分蒼天之氣經于危室柳鬼素天之氣經
于亢氐昴畢玄天之氣經于張翼婁胃所謂戊己分
者奎壁角軫則天地之門戶也夫候之所始道之所
生不可
不通也

但將年律起當年司天數至者爲司天相對一氣爲在

泉餘氣為左右間用在泉後一氣為初之氣主六十日餘八十七刻半至司天為三之氣主上半年自大寒日後通主上半年也至在泉為六氣主下半年自大暑日後通主下半年也少陰子為首順行又常為太過司天太過不及亦間數則與十干起運圖上下相合也故經曰歲半已前天氣主之歲半已後地氣主之者此也此言

數起司天以推餘氣之法又司天有太過不及也○但△字衆從也九也○將年律起當年司天△年律其年十二支也十二支篇曰十二支亦曰十二律年律之律即十二律△將年律起當年司天者如子午年少陰君火司天乃將年律起其當年司天也○數至者為司天△數司天加十二支司天訣屈指數之

數至一氣便司天也○相對一氣為在泉△相對一
氣相對司天之一氣也△圖翼司天在泉圖解司天
在泉四間氣者客氣之六步也凡主歲者為司天位
當三之氣司天之下相對者為在泉位當終之氣○
餘氣為左右間△餘氣司天在泉之餘氣△左右間
左右四間△至真要大論帝曰間氣何謂岐伯曰司
左右者是謂間氣也張註六氣分主六步上謂司天
下謂在泉餘四者謂之間氣在上者為司天左間司
天右間在下者為在泉左間在泉右間陰陽應象大
論曰天地者萬物之上下左右者陰陽之道路有
圖在圖翼二卷△馬氏註至真要大論曰左間右間
間氣之間皆宜讀曰平聲暇有旁容之義△今按間
平聲中也又近也去聲瑕也隔也○凡在泉後一氣
為初之氣主六十日餘八十七刻半△在泉後一氣
在泉左間△此以客氣分六氣言用在泉左間配主
氣則為初氣主六十日及其餘八十七刻半乃六分
三百六十五日二十五刻之數也○至司天為三之
氣主上半年自大寒日後通主上半年也至在泉為

六氣主下半年自大暑日後通主下半年也△至司天為三之氣折而言之也△主上半年自大寒日後通主上半年也總而言之也△至在泉為六氣折而言之也△主下半年自大暑日後通主下半年也總而言之也△圖冀曰總而言之司天通主上半年在泉通主下半年此客氣之槩也折而言之則六氣各有所主此分六氣之詳也△醫學綱目或曰天之陰陽六節惟司天在泉二節統盛一歲餘四節獨盛一步者何也曰司天在泉二節正當天地之中其升降常在中國相持故統盛一歲餘四節各居四方其升降不在中國惟治本一方所居之氣隨春令西行夏令北行秋令東行冬令南行入歸中國盛之故此四節各隨四時之令獨盛一步也○少陰子為始順行△言少陰君火子午年司天少陰君火為司天之正順行則太陰少陽陽明太陽厥陰也○又常為太過司天△又字對為首二字△六元正紀大論子午之紀凡此少陰司天之政氣化運行先天馬注少陰司天之政歲運太過其氣化運行皆先天而至○太過

不及亦間數△子年太過則丑年不及丑年不及則
寅年太過故曰太過不及亦間數△六元正紀大論
類註九子寅辰午申戌六陽年皆爲太過丑亥酉未
巳卯六陰年皆爲不及太過之氣常先天時而至故
其生長化收藏氣化運行皆蚤不及之氣常後天時
而至故其氣化運行皆遲如氣交變大論曰太過者
先天不及者後天本篇後文曰運太過則其至先運
不及則其至後皆此義也○則與十干起運圖上下
相合也△十干起運圖者上卷首十干起運訣也△
上文言數司天法次及於數司天之太過不及法今
言運有餘司天亦有餘運不及司天亦不及也上卷
首上有十干起運訣下有十二支司天訣則當上圖
與下圖相合而觀之矣此章疑有闕誤○故經曰歲
半已前天氣主之歲半已後地氣主之者此也∠此
二十二字當在自大暑以後通主下半年也之下蓋
司天主上半年在泉主下半年之結語也△經六元
正紀大論△歲半已前天氣主之歲半已後地氣主
之二巳字本文俱作之字△張註歲半之前始於大

寒終於小暑也歲半之後始於大暑終於小寒也至眞要大論曰初氣終三氣天氣主之四氣盡終氣地氣主之

之

天之六氣客也將此客氣布於地之六氣步位之上則有氣化之異矣經曰上下有位左右有紀者謂司天曰上位在南方則面北立左右乃左西右東也在泉曰下位在北方則面南立左右乃左東右西也故上下異而左右殊六微旨論曰少陽之右陽明治之之緒者乃南面而立以闚氣之至也非論上下左右之位而與顯明之右君火治之之意同謂面南視之指位而言也此言客氣

加主氣而循環也○天之六氣客也△天之六氣往來不定猶行旅過客也○將此客氣布於地之六氣步位之上△此客氣者天之六氣也△布字彙陳也鋪也△地之六氣主氣也△步六步位六位地之六氣行列於六方故曰步位○則有氣化之異矣△圖翼二卷天地六氣圖解曰加主氣之交司於四時者春屬木為風化夏初君火為熱化盛夏相火為暑化長夏屬土為濕化秋屬金為燥化冬屬水為寒化此六化之常不失其常即所謂當其位則正也加客氣之有盛衰逆順者則司天主上在泉主下左右四間各有專主不時相加以為交合此六化之變變有不測即所謂非其位則邪也故正則為德化政令邪則為災變眚傷○經曰上下有位左右有紀者謂司天曰上位在南方則面北立左右乃左西右東也在泉曰下位在北方則面南立左右乃左東右西也故上下異而左右殊△經六微旨大論△上下有位左右有紀八字經文也△張註此言六位之序以明客氣之盛衰也△醫學綱目四十上下有位左右有紀者

謂每歳陰陽盛衰之位上下謂司天在泉二位也左右謂司天之左間右間及在泉之左間右間爲四紀也△者字以下五十字依五運行大論以釋上下左右之義△言司天上也其位在南方則面北立矣其左右乃左間西右間東也此司天左右者面北定之也在泉下也其位在北方則面南立矣其左右乃左間東右間西也此在泉左右者面南定之也故有上下左右之別者惟南面則無此別矣△五運行大論帝曰論言天地者萬物之上下左右者陰陽之道路未知其所謂也張注此所以辨六氣也論即天元紀大論見前章及陰陽應象大論見陰陽類第三岐伯曰所謂上下者歳上下見陰陽之所在也上司天也下在泉也歳之上下即三陰三陽迭見之所在也左右者諸上見厥陰左少陰右太陽見少陰左太陰右厥陰見太陰左少陽右少陰見少陽左陽明右太陰見陽明左太陽右少陽見太陽左厥陰右陽明所謂面北而命其位言其見也司天在泉俱有左右諸上見者即言司天故厥陰司天則左少陰右太陽

是為司天之左右間也餘義放此司天在上故位南面北而命其左右之見左西也右東也　帝曰何謂下岐伯曰厥陰在上則少陽在下左陽明右太陰少陰在上則陽明在下左太陽右少陽太陰在上則太陽在下左厥陰右陽明少陽在上則厥陰在下左少陰右太陽陽明在上則少陰在下左太陰右厥陰太陽在上則太陰在下左少陽右少陰所謂面南而命其位言其見也　下者即言在泉故位北面南而命其左右之見是為在泉之左右間也左東也右西也司天在泉上下異而左右殊也　按右二節陰陽六氣甚為遷轉如巳亥年厥陰司天明年子午則左間少陰來司天矣又如初氣厥陰用事則二氣少陰來相代矣　六氣循環無已此所以上下左右陰陽逆順有異而見氣候之變遷也　有司天在泉左右間氣圖解在圖翼二卷　○六微旨論曰少陽之右陽明治之之緒者乃南面而立以閲氣之至也非論上下左右之位而與顯明之右君火治之之意同謂面南視之指位而言也△六微旨論六微旨大論素問篇名△焉

注內言天道六六之節地理應六節等義故名篇△
撰本經少陽之右陽明治之等文在上所引上下有
位左右有紀文下△六微旨大論帝曰願聞天道六
六之節盛衰何也岐伯曰上下有位左右有紀故少
陽之右陽明治之陽明之右太陽治之太陽之右厥
陰治之厥陰之右少陰治之少陰之右太陰治之太
陰之右少陽治之此所謂氣之標蓋南面而待之也
張註此即天道六六之節也三陰三陽以六氣為本
六氣以三陰三陽為標然此右字皆自南面而觀以
待之所以少陽之右為陽明也馬註天道六六之節
盛衰者天之三陰三陽右旋天外更治歲政每歲各
一盛衰至六歲周遍通得盛衰之節六六也九天右
旋之陰陽臨司天之位者其天之政盛至三之氣始
布臨在泉之位者其地之氣盛至終之氣始布而上
下二位有二節陰陽盛衰也臨司天之左間者其氣
至四之氣盛右間者其氣至二之氣盛臨在泉之左
間者其氣至初之氣盛右間者其氣至五之氣盛而
左右四紀有四節陰陽盛衰也故此六節陰陽每歲

各一盛衰而數得六寅申歳少陽旋來司天治之爲
初六少陽之右卯酉歳陽明旋來司天治之爲六二
陽明之右辰戌歳太陽旋來司天治之爲六三太陽
之右巳亥歳厥陰旋來司天治之爲六四厥陰之右
子午歳少陰旋來司天治之爲六五少陰之右丑未
歳太陰旋來司天治之爲六六太陰之右周而復始
干少陽治之故曰六六之節盛衰也凡此三陰三陽
爲治之氣皆所謂六氣之標也南面待之者明前少
陽之右云云者皆南面立而待之乃右居西而從西
旋適東也△緒事也見論天地六氣鈔中△乃南面
而立以閲氣之至也六微旨大論王注之文也△王
注聖人南面而立以閲氣之至也△陰陽離合論曰
聖人南面而立△閲字兼觀也△氣司天之氣△司
天從西轉東故南面以觀其氣之至於所在則右者
旋來治之也△非論上下左右之位之位六位謂客
氣列六方也指位而言也之位位次謂客氣流行之
序△言如六微旨大論所謂上下有位左右有紀者
就司天在泉一定之上或面北或面南分其左右者

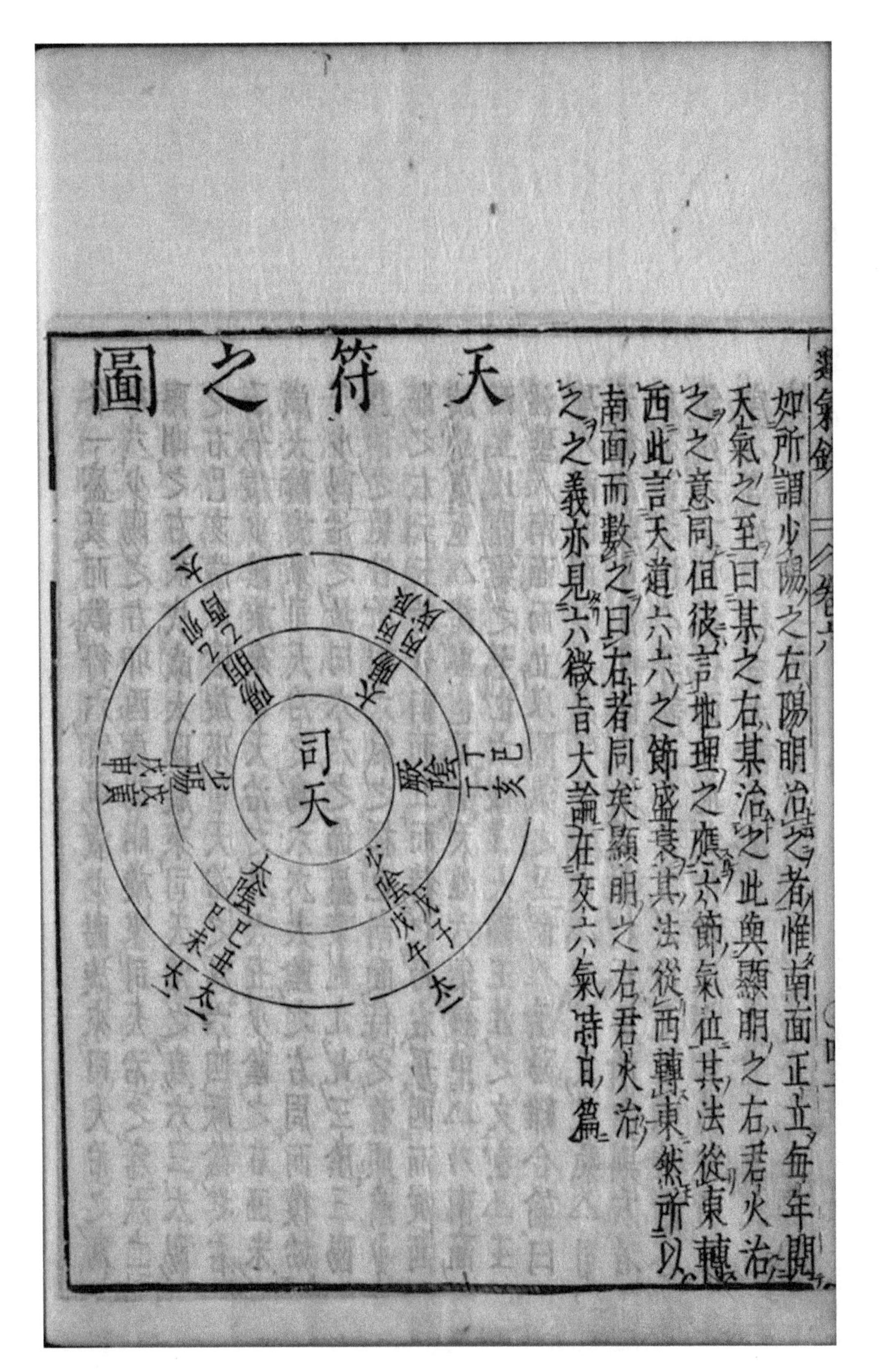

天符之圖

如所謂少陽之右陽明治之者惟南面正立每年閱
天氣之至曰某之右某治之此與顯明之右君火治
之之意同但彼言地理之應六節氣位其法從東轉
西此言天道六六之節盛衰其法從西轉東然所以
南面而數之曰右者同矣顯明之右君火治
之之義亦見六微旨大論在交六氣時日篇

論太符第十七

有天符有太一天符圖外加太一字者既太一天符也△圖裏曰天符者中運與司天相符也如丁年木運上見厥陰風木司天即丁巳之類共十二年太乙天符者如戊午年以火運火支又見少陰君火司天三合為治也共四年

陰陽交遷上下臨御而後有淫勝鬱復之變此太法也司天者司之為言直也主行天之令上之位也歲運者運之為言動也主天地之間人物化生之氣中之位也在泉者主地之化行乎地中下之位也一歲之中有此上中下三氣各行化令而氣偶符會而同者則過其化

雖無勝復之變則有中病徐暴之異以上序分○陰陽△陰年陽年○交
△六元正紀大論張註以下臨上曰交○遘△字彙
音姤遇也○上下△司天在泉○臨△字彙監也涖
也自上臨下也○御△字彙統也治也△六元正紀
大論曰寒暑燥濕風火臨御之化○淫勝△司天在
泉太過淫邑所勝為淫勝假令厥陰司天風淫所勝
則太虛埃昏雲物以擾寒生春氣流水不冰蟄蟲不
出之類即司天淫勝之變也厥陰在泉風淫所勝則
地氣不明平野昧草廼蚤秀之類即在泉淫勝之變
也詳見至真要大論△張註淫邪勝也不務其德是
謂之淫○鬱復△六元正紀大論張註五運被勝太
甚其鬱必極鬱極者必復其發各有時也詳如下文
△言陰陽交遘有鬱復之變上下臨御有淫勝之變
此氣變病變之大法也○司天者司之為言直也主
行天之令上之位也△此言司天之義△直當也宿
直之義△文選三十謝玄暉直中書省銑註直謂宿
於禁中以備非常△主行天之令上之位也司天之

司有主之義故曰主行天之令主行天令位上者宿直之義也△增韻司主守也△六元正紀大論張註司之爲言主也主行天令其位在上○歳運者運之爲言動也主天地之間人物化生之氣中之位也△天地司大在泉△人物人與草木禽獸等二者又謂人也△易乾卦程傳物人也古語云人物物論謂人也△運之位在中人物生於天地兩間故運主天地之間人物化生之氣△六元正紀大論張註運之爲言動也主氣交之化其位在中○在泉者主地之化行乎地中下之位也△此言在泉之義△六元正紀大論張註在泉者主地之化氣行地中其位在下○此上中下三氣△司天運在泉之三氣也○各行化令△化令氣化氣令△司天行天之令運主天地之間人物化生之氣在泉主地之化各行化令也○氣僻符會而同者則通其化△司天之氣與運之氣其氣符會而同者爲天符運之氣與在泉之氣其氣符會而同者爲同天符同歳會此等之類通其氣化也○雖無尅復之變則有中病徐暴之異△言如天符

等雖無相尅報復之氣變感於人則有病變其病有徐暴之不同中歲會者其病徐中太一天符者其病暴絶也詳見下文

是謂當年之中司天之氣與中氣運同者命曰天符符之爲言合也天符共十二年而十二年之中又有與當年十二律五行同者又是歲會命曰太一天符太一者所以尊之之號也謂一者天會二者歲會三者運會止有四年不論陰年陽年皆曰天符此言天符及太一天符之義○是謂△二十字承上○與中氣運同者△當作與中運氣同者○命曰天符符之爲言合也△天符者司天之氣合中運之謂○天符共十二年△六十年中天符之歲共十二年也△六微旨大論帝曰土運之歲上見太陰

火運之歳上見少陽少陰金運之歳上見陽明木運之歳上見厥陰水運之歳上見太陽奈何岐伯曰天之與會也故天元冊曰天符△天元紀大論曰應天為天符張註符合也應天爲天符如丁巳丁亥木氣合也戊寅戊申戊子戊午火氣合也己丑己未土氣合也乙卯乙酉金氣合也丙辰丙戌水氣合也此十二年者中運與司天同氣故曰天符○而十二年之中又有與當年十二律五行同者又是歳會命曰太一天符△言天符十二年之中又有與其年十二支之五行其氣同者四年是天符歳會者而命曰太一天符然歳會有二但單曰歳會者見下篇又天符歳會即此篇所謂歳會也天符歳會者在歳會八年中故曰又是歳會△六微旨大論曰天符歳會何如岐伯曰太一天符之會也張註既為天符又為歳會是為太一天符之會如上之己丑己未戊午乙酉四歳是也太一者至尊無二之稱○太一者所以尊之之號也△禮記禮運曰夫禮必本於太一集説極大曰太未分曰一太極函三爲一之理也石梁王氏曰禮

家見㝱有太極字翻出二箇太一大全長樂陳氏曰以形之始而言之謂之太以數之始而言之謂之一△史記天官書正義曰泰一天帝之別名也劉伯莊云泰一天神之最尊貴者也△事文類聚卷之二天道部天神之大者曰昊天上帝即耀魄寶也亦曰天皇大帝亦曰太一其佐曰五帝東方青帝威靈仰南方赤帝赤熛怒西方白帝白招拒北方黑帝計光紀中央黃帝含樞紐五經通義△排韻戊集劉向傳向校書天祿閣有老人黃衣植青藜杖叩閣而進時向坐暗中誦書乃吹杖端煙燃照之曰我太乙之精天帝聞卯金之子博學下而觀焉乃出懷中竹牒有天文地圖之書授之自是向學且進△今按此等說以太一或為太極之義或為天神之名皆尊貴之稱故尊天符歲會以加太一之號也〇謂一者天會二者歲會三者運會也有四年不論陰年陽年皆曰天符△自此言天符歲會之會及所以尊之之義也△天會司天之氣會也△歲會當年十二律之氣會也△運會中運之氣會也△言天符歲會有此三會十二

年中止有四年而四年之中有陽年有陰年如己丑己未乙酉陰年也如戊午陽年也然不論陰年陽年如之太乙尊號而皆曰天符

故經曰天符為執法歲位為行令太乙天符為貴人邪之中人則執法者其病速而危行令者其病徐而持貴人者其病暴而死蓋以氣令故中人則深矣歲會于律同而非天令則所以言行令者註曰象方伯無執法之權故無速害病但執持而已

此引經文參王注斷章取意而言所以尊太乙天符之意遂及於天符歲會為邪之義也◯經△六微旨大論△此所引經文斷章取意故今舉全文於後以見始終之文義△六微旨大論帝曰其貴賤何如岐伯曰天符為執法歲位為行令太乙天符為貴人帝

曰邪之中也奈何岐伯曰中執法者其病速而危中行令者其病徐而持中貴人者其病暴而死○天符為執法△王注執法猶相輔△張註執法者位於上猶執政也△按執政者我朝古之攝政中世執柄後世將軍家所謂執權也便執行國政宰相也△漢書九十九王莽傳曰御史曰執法△文選六左太冲魏都賦曰執法內侍註執法內侍天子以察人過○歲位為行令△歲位歲會也歲會者歲建與年支會氣當其位故亦曰歲位△六微旨大論帝曰何謂當位岐伯曰木運臨卯火運臨午土運臨四季金運臨酉水運臨子所謂歲會氣之平也張註氣相得者為當位△王注行令猶方伯△方伯義見下△張註行令者位乎下猶諸司也△諸司諸有司即諸奉行也○太一天符為貴人△王注貴人猶君主△張註貴人者統乎上下猶君主也○邪之中人△六微旨大論帝曰邪之中也奈何張註言以非常之邪不時相加而中傷者也○則執法者其病速而危△則字恐似中字△六微旨大論作中執法△王注執法官人

之縕率自爲邪僻故病速而危△張註中執法者犯司天之氣也天者生之本故其病速而危○行令者其病徐而持△據經文行令之上當有中字△王注見下△張註中行令者犯地支之氣也害稍次之故其病徐而持持者邪正相持而吉凶相半也△六元正紀大論曰徐者爲病持張註持者進退纏綿相持延久也○貴人者其病暴而死△據經文貴人之上當有中字△王注義無凌犯故病則暴而死△張註中貴人者天地之氣皆犯矣故暴而死按此三者地以天爲主故中天符者甚於歲會而太一天符者乃三氣合一其盛可知故不犯則已犯則無能解也人而發之不能免矣○蓋以氣令故中人則深矣△自此以下釋經文而此一節釋中貴人者其病暴而死△氣令氣類相合爲令也即三合爲治之意△言太一一天符以氣令故其邪中人則深暴而死也蓋氣令之甚似君威之尊故有太一之號矣○歲會干律同而非天令則所以言行令者△歲會者運之五行與年支之五行相會故曰歲會干律同干干律十二

律即十二支△此歲會者唯指直承歲非總謂八
年歲會也何以故與太一天符對說故太一天符四
年在八年歲會中矣△天令天符爲天號令也△言
歲會者中運與地支同其氣化非天令而所以言行
令者何哉下引王法以解之○註曰△註六微旨大
論王注也○方伯△禮記王制曰天子使其大夫爲
三監監於方伯之國國三人大全嚴陵方氏曰方伯
即州伯也金華應氏曰方伯者天子所任以總乎外
者也△書經呂刑篇註伯諸侯也△諸侯者我朝
古之國司後世武家守護職俗號大名者是也○執
持△詩經執競篇註執持也△言行令象於方伯
伯爲一方之長施行天子之令但其所施行不過於
分國無百官取法於執法之權勢權勢少則雖爲邪
其謬人也亦微故不若執法之邪速害人其病執持
延久而已溫舒不解中執法者其病速而危之義然
於此亦得其義蓋行令無執法之權故無速害病執
法有執法之權故有速害病其意可觀矣△王注行
令猶方伯△又曰方伯無執法之權故無速害病但

執持而已

歲會之圖

論歲會第十八

歲會△圖載曰歲會者中運與年支同其氣化也如木運臨卯木火運臨午火之類共八年

夫當年十干建運與年辰十二律五行相會故曰歲會

運氣鈔　巻六　四十六

氣之主也則不以陰年陽年乃是取四時正中之月爲四直承歲子午卯酉是也而土無正位各寄王於四季之末一十八日有奇則通論承歲辰戌丑未是也已上共八年

此言歲會之義○當年十干建運△其年五運也以十干定運故謂五運爲十干建運○年辰十二律△其年十二支也○五行相會△運之五行與支之五行同氣相會合也○故曰歲會△結前二句云爾△又以此四字屬下亦可也故曰者引辭也言歲會者氣之平也便六微旨大論之文也○氣之主也△主當作平天元紀大論馬注引此篇全文主作平△六微旨大論帝曰盛衰何如岐伯曰非其位則邪當其位則正邪則變甚正則微張注氣不相得者爲非位氣相得者爲當位故有邪正微甚之分帝曰何謂當位岐伯曰木運臨卯此下言歲會也以木運而臨卯位丁卯歲也　火運臨午以火運臨午位戊

午歲也土運臨四季土運臨四季甲辰甲戌己丑己
未歲也金運臨酉金運臨酉乙酉歲也水運臨子水
運臨子丙子歲也所謂歲會氣之平也此歲運與年
支同氣故曰歲會其氣平也共八年帝曰非位何如
岐伯曰歲不與會也歲運不與地支會則氣有不平
者矣○不以陰年陽年△天元紀大論馬註以作分
△言歲會不論陰年陽年之差別○四時正中之月
△子午卯酉也子十一月冬三月正中午五月夏三
月正中卯二月春三月正中酉八月秋三月正中故
曰四時正中之月△取四時正中之月者歲會八年
之中取當於四時正中之月年辰也○爲四直承歲
△歲會八年之中四年特名爲四直承歲直歲直即
歲會也直爲會之義四直者應四時正中歲直也承
受也以年辰水火木金之四行受中運水火木金之
四行故曰承歲也△天元紀大論曰承歲爲歲直張
註承下奉上也直會也承歲爲歲直如丁卯之歲木
承木也戊午之歲火承火也乙酉之歲金承金也丙
子之歲水承水也甲辰甲戌己丑己未之歲土承土

也此以年支與歲同氣相承故曰歲直即歲會也然
不分陽年陰年但取四正之年爲四直承歲如子午
卯酉是也惟土無定位寄王於四季之末各一十八
日有奇則通論承歲如辰戌丑未是也共計八年○
子午卯酉是也△釋四時正中之歲詞○而土無正
位各寄王於四季之末一十八日有奇△土者辰戌
丑未也△正位正中之位△有奇二十六刻十五分
△辰戌丑未各旺十八日有奇積之則爲七十三日
零五刻此土旺之日刻也以三百六十五日零二十
五刻五分之配於五行則有此數又曰土於四季各
旺十八日者以三百六十日配於五行五行各七十
二日○則通論承歲△言歲會八年之中辰戌丑未
於四時無正位寄旺於四時之末和俗謂土用者是
也以此言之則於歲此四年非四直承歲故通論惟
曰承歲此承歲者以土承土之歲也○辰戌丑未是
也△釋承歲之詞○巳上共八年△四直承歲與通
論承歲二者各四年巳上
合共八年所謂歲會也

外有四年壬寅皆木庚申皆金是二陽年癸巳皆火辛亥皆水是二陰年亦是運與年辰相會而不爲歲會者謂不當四年正中之令故也除二陽年則癸巳辛亥二陰年雖不名歲會亦上下五行相佐皆爲平氣之歲物生脉應皆必合期無先後矣此言歲會八年之外有如歲會者也◯外有四年△外歲會八年之外也△四年壬寅庚申癸巳辛亥◯壬寅皆木庚申皆金是二陽年△壬木運寅木故壬寅之歲皆木也庚金運申金故庚申之歲皆金也四年之中此壬寅庚申是二陽年也◯癸巳皆火辛亥皆水是二陰年△癸火運巳火故癸巳之歲皆火也辛水運亥水故辛亥之歲皆水也四年之中此癸巳辛亥是二陰年也◯亦是運與年辰相會△言此四年亦如歲會運與年辰五行之氣相會合也◯而不

為歲會者謂不當四年正中之令故也△言壬寅庚申癸巳辛亥四年運與年支同其氣化而不為歲會者寅正月春始申七月秋始巳四月夏始亥十月始俱不當四時正中之月令便不如子午卯酉四年故也△四年正中之令一本作四時正中之令△問寅申巳亥者不當正中之令故不為歲會而歲會入年之中辰戌丑未四年亦非四時正中而取之入八年之中者何耶曰辰戌丑未者寄主於四季之末自屬於子午卯酉四正故雖非正中之令取之通論於歲也寅申巳亥者不當正中亦非寄主者故不為歲會矣○除二陽年則△自此以下言寅申巳亥四年之中巳亥二年雖不為歲會而為平氣也△二陽年壬寅庚申也△圖翼曰然除壬寅庚申二陽年不相和順者無論△言壬寅庚申運與年辰五行相會而少陽相火司天厥陰風木在泉火在上木在下母子失次不相和順非平氣之歲故除此二陽年二陽年之中壬寅一年入同天符六年之中○癸巳辛亥二陰年雖不名歲會亦△亦字對運與年辰相會言癸

巳辛亥二年運與年辰相會亦上下五行相佐也○
上下五行相佐△上下司天在泉△巳亥二年厥陰
風木司天少陽相火在泉木在上火在下五行得次
木生火而氣和順相佐也○皆為平氣之歳△皆謂
癸巳辛亥二陰年○物生脉應△六微旨大論曰物
生其應也氣脉其應也　馬註即六元正紀大論所謂
厥陰所至為風生之類是物生之應厥陰之至其脉
弦之類是氣脉之應也　張註物生其應如五常政大
論之五穀五菓五蟲五畜之類是也氣脉其應如至
真要大論之南北政及厥陰之至其脉弦之類是也
○皆必合期無先後矣△物生脉應皆有其期平氣
之歳皆必合期無先其期亦無後矣○按癸巳辛亥
二陰年之中癸巳亦入同歳會六年之中○又按壬
寅癸巳庚申辛亥四年名支德符○醫學入門曰運
與四孟月相同曰支德符寅屬木春孟月也壬寅年
木運臨之巳屬火夏孟月也癸巳年火運臨之申屬
金秋孟月也庚申年金運臨之亥屬水冬孟月也
辛亥年水運臨之六十年中有此四年支德符也

歲會八年中內四年與司天氣同已入太一天符也餘並見前論中

歲會八年中內四年△內字似以字△四年已丑已未乙酉戊午也○與司天氣同已入太一天符也△運與司天氣同者即太一天符也○餘並見前論中△餘者謂太一及天符等諸義△前論論天符篇△圖翼曰歲會共計八年而四年同於天符是即太乙天符也按八年之外猶有四年類歲會而實非者如壬寅皆木庚申皆金癸巳皆火辛亥皆水亦是運與年支相合而不為歲會者以不當四正之位故也然除壬寅庚申二陽年不相和順者無論至若癸巳辛亥二陰年雖不為歲會而上下陰陽相佐亦得平氣其物生脈應亦皆合期也

同天符同歲會之圖

論同天符同歲會第十九

同天符同歲會△圖翼曰同天符同歲會者中運與在泉合其氣化也陽年曰同天符陰年曰同歲會如甲辰年陽土運而太陰在泉則爲同天符癸卯年陰火運而少陰在泉則爲同歲會共十二年

六氣循環互司天地太過不及隨干陰陽制而為准上中下氣輪有符合天符歲會前已載之運氣與在泉合其氣化陽年曰同天符陰年曰同歲會六氣△天之六氣○循環△大學序曰天運循環無往不復蒙引環圓物也以其過而復始旋轉不停故曰循環○互司天地△天地司天在泉○太過不及△太過之歲不及之歲○隨干陰陽△干十干十干有陰有陽見十干篇○制△字彙斷也○准△字彙度也△言太過不及隨干陰陽陽年為太過陰年為不及乃以十干陰陽決斷之為其法也○上中下氣輪有符合△上司天中中運下在泉△一歲之中此上中下三氣輪轉中與上符合為天符中與下符合為同天符同歲會○天符歲會前已載之△天符中與上符合已見上△按前論歲會有中運與年支同其氣化之論而無上中下符合之說然推溫舒之意歲會八年之中惟丙子丁卯無

符合之義餘皆符合已丑已未是太一天符中下與上符合甲辰甲戌是同天符中與下符合戊午中與上符合乙酉中與上符合故以歲會爲符合論歲會見前故曰前已載之○運氣與在泉合其氣化陽先曰同天符陰年曰同歲會△運氣運之氣也一説下文謂合其氣化則運氣之氣似衍文△六元正紀大論帝曰加者何謂岐伯曰太過而加同天符不及而加同歲會也張註太過六年下加在泉者謂之同天符不及六年下加在泉者謂之同歲會△同天符同於天符之意同歲會同於歲會之意△馬註太過之年而在泉者與運氣相合猶運氣與司天相合故謂之同天符也不及之年而在泉者與歲辰相合猶運氣與歲辰相合故謂之同歲會也

故六十年中太一天符四年天符十二年歲會八年同天符六年同歲會六年五者離而言之共三十六年合

而言之止有二十七年經言二十四歲者不言歲會也

不可不審 此受上文言六十年中符合者五及五者之年數也○五者△太一天符天符歲會同天符同歲會○離△玉篇散也△馬註離作分○共三十六年△太一天符四年天符十二年歲會八年同天符六年同歲會六年五者共三十六年○合而言之止有二十七年△七當作六△言五者三十六年而太一天符四年在天符十二年中歲會八年內四年亦在天符中同天符六年內二年在歲會中此三十六年中十年減則止有二十六年張氏言止得二十八年者不及於同天符六年內甲辰甲戌二年在歲會中而已△圖翼曰右天符十二年太乙天符四年歲會八年同天符六年同歲會六年五者分而言之共三十六年然太乙天符四年已同在天符十二年中矣歲會八年亦有四年同在天符中矣故合而言之六十年中止得二十八年也○經言二十四歲者不言歲會也不可不審△經六元正紀大論△圖

冀曰六元正紀大論曰凡二十四歲者蓋止言天符十二年同天符同歲會共十二年總為二十四年而不言歲會及太乙天符也亦所當審△按温舒但曰不言歲會也蓋總天符歲會與八年歲會二者而言△六元正紀大論帝曰五運行同天化者命曰天符余知之矣願聞同地化者何謂也岐伯曰太過而同天化者三不及而同天化者亦三太過而同地化者三不及而同地化者亦三此凡二十四歲也張註同司天之化者其太過不及各有三同在泉之化者其太過不及亦各有三也太過謂陽年甲丙戊庚壬也不及謂陰年乙丁己辛癸也二十四歲義如下文帝曰願聞其所謂岐伯曰甲辰甲戌太宮下加太陰壬寅壬申太角下加厥陰庚子庚午太商下加陽明如是者三下加者以上加下也謂以中運而加於在泉也太宮加太陰皆土也太角加厥陰皆木也太商加陽明皆金也此上文所謂太過而同地化者三三者太陰厥陰陽明也共六年是為同天符癸巳癸亥少徵下加少陽辛丑辛未少羽下加太陽癸卯癸酉少

徵下加少陰如是者三少徵加少陽皆火也少羽加太陽皆水也少徵加少陰皆火也此上文所謂不及而同地化者亦三三者少陽太陽少陰並共六年是爲同歲會戊子戊午太徵上臨少陰戊寅戊申太徵上臨少陽丙辰丙戌太羽上臨太陽如是者三上臨者以下臨上也謂以中運而臨於司天也太徵臨少陰少陽皆火也太羽臨太陽皆水也此上文所謂太過而同天化者三三者少陰少陽太陽也丁巳丁亥少角上臨厥陰乙卯乙酉少商上臨陽明己丑己未少宮上臨太陰如是者三少角上臨厥陰皆木也少商上臨陽明皆金也少宮上臨太陰皆土也此上文所謂不及而同天化者亦三三者厥陰陽明太陰也此上一節太過六年不及六年共十二年皆重言天符也而其中戊午乙酉己丑己未又爲太乙天符但戊午有餘而乙酉己丑己未爲不及也除此二十四歲則不加不臨也謂六十年中除此二十四歲之外則無同氣之加臨矣二十四歲詳義亦見圖翼二卷天符歲會圖說帝曰加者何謂岐伯曰太過而加同

天符不及而加同歲會也此復明上文下加之義也太過六年下加在泉者謂之同天符不及六年下加在泉者謂之同歲會帝曰臨者何謂岐伯曰太過不及皆曰天符而變行有多少病形有微甚生死有蚤晏耳此復明上文上臨之義也無論太過不及上臨司天者皆謂之天符共十二年△抄曰六元正紀大論二十四歲之文正如此審味始終文義二十四歲者言同天符同歲會太符而不言太一天符歲會甚明乃就離數三十六年上而言若就谷數二十六年上而言之則太一天符四年又歲會八年中戊午乙酉甲辰甲戌己丑己未六年在二十四歲中二十四歲者不言歲會八年中丙子丁卯二年也馬玄臺誤六元正紀大論曰經言二十四歲除歲會八年者不深考經文故而已

如是則通變行有多少病形有微甚生死有早晏按經推步誠可知矣　通如是則通△如是二字稟上文△通者通五者也○變行有多少病形有微甚

生死有早晏△六元正紀大論之文也△馬註六微旨大論曰天符爲執法歲會爲行令太一天符爲貴人邪中執法其病速而危中行令者其病徐而持中貴人者其病暴而死者是也△張註其變行有多少因其氣之盛衰也故病形死生亦各有所不同耳△又曰按此二論曰歲會曰天符曰太一天符曰同天符同歲會其目凡五皆上下符會無所克侮均爲氣之相得故於天時民病多見平和然其氣純而一亦恐亢則爲害故曰變行有多少病形有微甚生死有蚤晏耳觀上文二十四年之間惟於歲會八年曰所謂歲會氣之平也則其他之不平可知故曰制則生化然則無制者乃爲害矣所以有至而不至未至而至之變皆其氣之偏耳不可因其爲和便以爲常而不之察也△變行氣之變化流行也△病形病證△生死人之生死◎按△韻會考也◎經△謂內經六元正紀大論等篇也◎推步△步亦推也推歲之謂◎誠可知矣△知者知變行之多少病形之微甚生死之早晏也

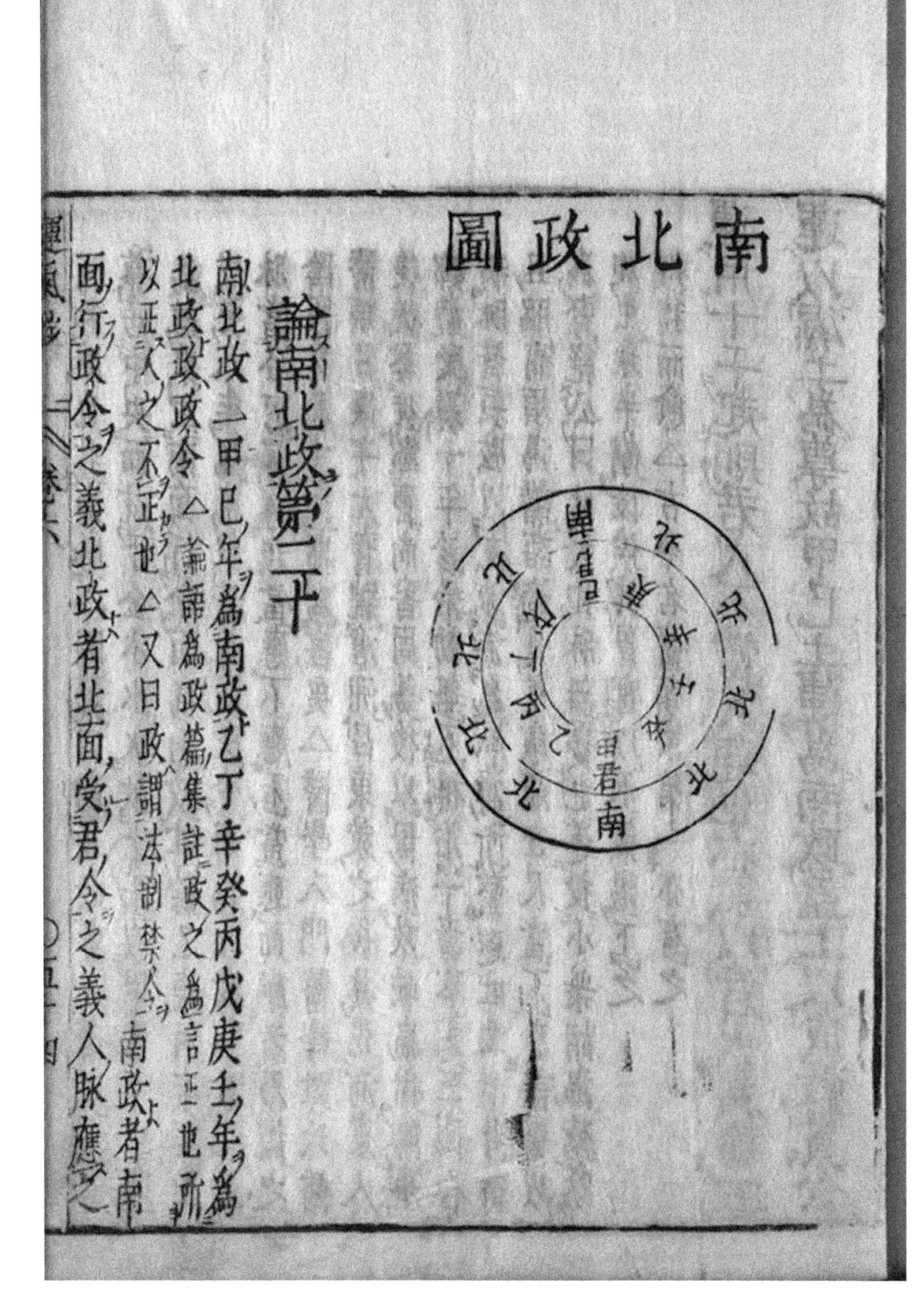

南北政圖

論南北政篇第二十

南北政一甲巳年為南政乙丁辛癸丙戊庚壬年為北政政政政令△論語為政篇集註政之為言正也所以正人之不正也△又曰政謂法制禁令　南政者南面行政令之義北政者北面受君令之義人脉應之

天和脉也非病脉△圖翼曰南北政者五運以土為尊居中央而統乎金木水火故十干以甲己年土運為君象王南面行令而為南政其餘乙庚丙辛丁壬戊癸八年為臣象皆北面受令而為北政南政北政脉當合者不應若當應不應不當應而應者乃謂之陰陽交尺寸反斯為害矣△醫學入門醫學姓氏儒醫類呂復字元膺號滄洲呂東萊之後其先河東人後徙鄞從鄞齋尚書周易後以母病攻岐扁術師事鄭禮之讀一年診治効無不神治一貴客冥三陽合病脉皆長弦以方涉海為風濤所驚遂吐血一升許且脇痛煩渴譫語適是年歲運左尺當不應諸醫以為腎絕公曰此天和脉無憂也遂投小柴胡湯減參加生地半劑後俟其胃實以承氣湯下之得利而愈△古今名醫類案第一亦有之

運用十干起則君火不當其運也六氣以君火為尊五運以濕土為尊故甲己土運為南政蓋土以成數貫金

木水火位居中央君尊南面而行令餘四運以臣事之面北而受令所以有別也　此言南政北政之義○運用△言五運由十干所合而成運六氣者十二支相合而爲氣六氣之中有君火不當其運也○六氣以君火爲尊△天元紀大論曰君火以明相火以位張註云然以凡火觀之則其氣質上下亦自有君相明位之辨盖明者光也火之氣也位者形也火之質也如一寸之燈光被滿室此氣之爲然也盈爐之炭有熱無燄此質之爲然也夫燄之與炭皆火也然燄明而質暗燄虛而質實燄動而質靜燄上而質下以此證之則其氣之與質固自有上下之分亦豈非君相之辨乎是以君火居上爲日之明以昭天道故於人也屬心而神明出焉相火居下爲原泉之溫以生養萬物故於人也屬腎而元陽蓄焉所以六氣之序君火在前相火在後前者肇物之生後者成物之實而三百六十日中前後二火所主者止四五六七月共一

百二十日以成歲化育之功此君相二火之爲用也○五運以濕土爲尊故甲己土運爲南政△濕土土運也△圖翼推原南北政說曰愚按南北政之義諸說皆以甲己屬土爲五行之尊故曰南政似屬牽強夫干支相合而成花甲干支之中復各有所統十干如六甲干頭必起甲子至戊未而六十花甲盡及至六己復起甲子至癸未而六十花甲盡故甲己年必起於甲子月甲己日必起於甲子時此甲己二干所以爲十干之首故象君而爲南政其餘則北面象臣而爲北政人之血脈故亦應之郎奇門諸家亦獨以甲己爲符頭此花甲自然之理固不待土爲五行之尊而分南北也暁理者以謂然否○蓋土以成數貫金木水火位居中央君尊南面而行令△此言所以土之爲尊也言土之數五爲金木水火成數乃土以成數貫金木水火其位居四方之中統領四方故五運之首甲己土運象君南面而行令爲南政△君人君△禮記樂記曰天尊地卑君臣定矣集說定君臣之禮者取於天地尊卑之勢也△南面者面南左

也△論語雍也篇集註南面者人君聽治之位△説
卦傳曰離也者明也萬物皆相見南方之卦也聖人
南面而聽天下嚮明而治蓋取諸此也△令政令△
莊子人間世口義令君命也△三略曰出君下臣名
曰命施於竹帛名曰令奉而行之名曰政直解出於
君下於臣名曰命施之於竹帛名曰令百官奉而行
之布於四海名曰政△以三畧觀之令者　本朝宣
命即綸言也◎餘四運以臣事之面北而受令△四
運乙庚金運丙辛水運丁壬木運戊癸火運也△之
者謂甲己土運△言餘四運象臣北面而對君受其
令故爲北政◎所以有別也△別君臣尊卑之差別
△至眞要大論馬玄臺註據五運行大論以諸司天
爲面北而命其位則以司天爲南爲上令以南政爲
面南與彼司天面北者不同又以諸在泉爲面南而
命其位則以在泉爲北爲下令以北政爲面北與彼
在泉面南者不同彼論上下此論君臣故也◎蠡海
集曰南北二政南有二而北有八者此從五行化氣
以配五音而五五義者焉甲己化土宮而爲君君臨

南面乙庚化金商而爲臣丙辛化水羽而爲物丁壬化木角而爲民戊癸化火徵而爲事臣民物事奉上承命安得不北面乎是以南政有一而北政有八況土爲萬物之祖而爲四行之主也夫△漢書律歷志曰以君臣民事物言之則宮爲君商爲臣角爲民徵爲事羽爲物唱和有象故言君臣佐事之體也

而人脉應之甲己之歲土運南面論脉則寸在南而尺在北少陰司天兩寸不應少陰在泉兩尺不應乙丙丁戊庚辛壬癸之歲四運面北論脉則寸在北而尺在南少陰司天兩尺不應少陰在泉兩寸不應乃以南爲上北爲下正如男子面南受氣尺脉常弱女子面北受氣尺脉常盛之理同以其陰氣沉下故不應耳此言人脉應南北政

也○人脉應之△之者謂南北政○二運△續素問
鈔亦作二運朝鮮本二作土上文曰餘四運下文曰
乙丙丁戊庚辛壬癸之歲四運面北此已以餘八年
爲四運則甲己二年惟一運而已不可爲二運且上
文又曰甲己土運然則二字爲土字之誤明矣○論
脉則寸在南而尺在北△五運行大論馬註南政之
歲人氣面南而寸南尺北天左間之氣在右寸右間
之氣在左寸地左間之氣在左尺右間之氣在右尺
○少陰司天兩寸不應△至眞要大論曰南政之歲
少陰司天則寸口不應張註南政之歲其氣居南以
定上下則寸主司天尺主在泉故少陰司天居南之
中則兩手寸口不應甲子甲午年是也△又至眞要
大論張註不應者脉來沉細而伏不應於指也△三
部九候論馬註凡曰應者應醫工之指下也○少陰
在泉兩尺不應△至眞要大論曰南政之歲三陰在
泉則尺不應○乙丙丁戊庚辛壬癸之歲四運面北
△四運金水木火之四運也○論脉則寸在北而尺
在南△五運行大論馬註北政之歲人氣面北而寸

北尺南地左間之氣在右寸右間之氣在左寸天左間之氣在左尺右間之氣在右尺○少陰司天兩尺不應△至眞要大論曰北政之歲三陰在上則尺不應○少陰在泉兩寸不應△至眞要大論曰北政之歲少陰在泉則寸口不應張註北政之歲其氣居北以定上下則尺主司天寸主在泉故少陰在泉居北之中則兩手寸口不應乙丁辛癸卯酉年是也○乃以南為上北為下正如男子面南受氣尺脉常弱女子面北受氣尺脉常盛之理同△以南為上北為下廣言南方為上北方為下者蓋南方為陽北方為陰故以南為上北為下又據圖眞觀之乃以南為上北為下八字當在少陰在泉兩尺不應之下即南政之結語也此亦當有乃以北為上南為下八字即北政之結語也△圖眞曰南北政者即甲己為南政餘為北政是也至眞要大論曰陰之所在寸口何如岐伯曰視歲南北可知之矣謂南政之年南面行令其氣在南所以南為上而北為下司天在上在泉在下人氣應之故寸為上而尺為下左右俱同北政之歲

北面受令其氣在北所以北為上而南為下在泉應
上司天應下人氣亦應之故尺應上而寸應下司天
應兩尺在泉應兩寸地之左間為右寸右間為左寸
天之左間為左尺右間為右尺正與男子面南受氣
女子面北受氣之理同也△男子面南受氣女子面
北受氣大抵陽在南陰在北男為陽女為陰故男子
向陽受陽氣女子向陰受陰氣易繫辭曰乾道成男
坤道成女此之謂也就人身上言之男生內嚮南面
之象也女生外嚮北面之象也△白虎通曰諸侯南
面之君體陽而行陽道不絶大夫人臣北面體陰而
行陰道絶以男生內嚮有留家之義女生外嚮有從
夫之義此陽不絶陰有絶之効也△素問腹中論張
介賓類註曰第胎有男女則成有遲速體有陰陽則
懷有向背故男動在三月陽性蚤也女動在五月陰
性遲也女胎背母而懷故母之腹軟男胎面母而懷
故母之腹鞕△本草綱目卷之五十二曰男生而覆
女生而仰溺水亦然陰陽秉賦一定不移常理也△
蠡海集曰男得陽氣根於子女得陰氣根於午男子

之生也抱母向於子女子之生也負母向於午也或曰男生必伏女生必偃謂男陽氣在背女陽氣在腹予以為非陽氣也乃生氣也男氣盛於陽女氣盛於陰背為陽腹為陰觀溺水而死者可知矣男伏而女偃△愚按蠡海集男子之生也向於子女子之生也向於午之說與白虎通之說不同便蠡海集則以内嚮為向於子以外嚮為向於午白虎通則以内嚮為南面之義以外嚮為北面之義温寄用白虎通意曰男子面南女子面北蓋蠡海集以陰陽之常而言白虎通以陰陽互根之理而言△又按人身男女皆有面南之象耳目口鼻動於前應陽面南也脊膂肩背峙於後應陰背北也△天命圖說曰天地之道主北面南人生其間背陰抱陽亦主北面南而立是為正位可見其與天地參三之真矣△性理字義曰如人形骸却與天地相應頭圓居上象天足方居下象地北極為天中央却在北故人百會穴在頂心却北向後日月來往只在天之南故人之兩眼皆在前溲溺水所歸在南之下故人之小便亦在前下此所以為

得氣之正△素問金匱眞言論張註人身背腹陰陽議論不一有言前陽後陰者如老子所謂萬物負陰而抱陽是也有言前陰後陽者如此節所謂背為陽腹為陰是也似乎相左觀邵子曰天之陽在南陰在北地之陰在南陽在北天陽在南故日處之地剛在北故山處之所以地高西北天高東南然則老子所言言天之象故人耳目口鼻動於前所以應天陽面南也本經所言言地之象故人之脊膂肩背峙於後所以應地剛居北也矧以形體言之本為地象故背為陽腹為陰而陽經行於背陰經行於腹也天地陰陽之道當考伏羲六十四卦方圓圖圓圖象天陽在東南方圖象地陽在西北其義最精燎然可見△易蒙引十五五方則惟北不用者北方地寒不生五穀所謂青海城頭惟有白黃砂磧裏本無春者也人則一身手足耳目口鼻之類皆動而惟背不及於用既不能如目視而耳聽又不能如手持而足行惟其身之所在則帖然隨之而已無往非止也故能出一身之萬用而不窮蓋人是天地所生者其種出於天地

故自然如此耳甞字從北從肉旨言哉△尺脉常弱
尺脉常盛難經之文也但難經常作恒△難經十九
難曰男子生於寅寅爲木陽也女子生於申申爲金
陰也故男脉在關上女脉在關下是以男子尺脉恒
弱女子尺脉恒盛是其常也楊玄操註男子陽氣盛
故尺脉弱女子陰氣盛故尺脉強此是其常性本義
曰謂陽之體輕清而升天道也故男脉在關上陰之
體重濁而降地道也故女脉在關下此男女之常也
△脉訣攷證冊溪朱震亨曰昔軒轅使伶倫截嶰谷
之竹作黄鍾律管以候天地之節氣使岐伯取氣口
作脉法以候人之動氣故黄鍾之數九分氣口之數亦
九分律管具而寸之數始形故脉之動也陽得九分
陰得一寸吻合于黄鍾天不足西北陽南而陰北故
男子寸盛而尺弱肖乎天也地不滿東南陽北而陰
南故女子尺盛而寸弱肖乎地也黄鍾者氣之先兆
故能測天地之節候氣口者脉之要會故能知人命
之死生世之俗醫論高陽生之妄作欲以治病其不
殺人也幾希△又曰龍丘葉氏曰脉者天地之元性

故男女尺寸盛弱肖乎天地越人以為男生于寅女
生于申三陽從天生三陰從地長謬之甚也獨丹溪
惟本律法混合天人而闢之使千載之誤一旦照然
豈不韙哉△温舒之意言南政以南為上北為下北
政以北為上南為下隨南北政而人脉應之正如男
子面南女子面北而尺脉有弱盛之別但南北政運
氣脉也不論男女應年氣而至為客脉尺脉之弱盛
男女禀賦脉也自三才分而為人亘古今不變然南
北政也尺脉之弱盛也至於隨南面北面以為脉則
其理為同矣○以其陰氣沉下故不應耳△發明少
陰司天則兩寸不應等類凡陰氣所在不應之義也
言陰氣重濁下沉故不應耳△泰定養生主論耳作
指也△至眞要大論張介賓註愚按陰之所在其脉
不應諸家之注皆謂六氣以少陰為君君象無為不
主時氣故少陰所至其脉不應也此説殊為不然夫
少陰既為六氣之一又安有不主氣之理惟天元紀
大論中君火以明相火以位之下王氏注曰君火在
相火之右但立名於君位不立歳氣一言此在王氏

固已誤注而諸家引以釋此蓋亦不得已而爲之強解耳義豈然歟夫三陰三陽者天地之氣也如太陰陽明論曰陽者天氣也主外陰者地氣也主内故陽道實陰道虛此陰陽虛實自然之道也蘇以日月論之則日爲陽其氣常盈月爲陰其光常缺是以潮汐之盛衰亦隨月而有消長此陰道當然之義爲可知矣人之經脈即天地之潮汐也故三陽所在其脈無不應者氣之盈也三陰所在其脈有不應者以陽氣有不及氣之虛也然三陰之列又惟少陰獨居乎中此又陰中之陰也所以少陰所在爲不應蓋亦應天地之虛耳豈君不主事之謂乎明者以爲然否△運氣易覽曰經論陰之所在則脈不應兼三陰而言非獨指少陰也王太僕于太陰厥陰下註以少陰近其位致然反遺本氣左右不以位取之所向義亦牽合故啓馬宗素諸書皆隨君火所在言之此丹溪所謂失經意之類今不從△又曰按脈不應專指三陰言然少陰君主也故主兩寸兩尺所以少陰司天兩寸不應少陰在泉兩尺不應子之左丑屬太陰故太陰

司天左寸不應太陰在泉左尺不應子之右亥厥
陰故厥陰司天右寸不應厥陰在泉右尺不應但看
三陰所在司天主寸在泉主
尺不論南政北政此要法也

六氣之位則少陰在中而厥陰居右太陰居左此不可
易也其少陰則主兩寸尺厥陰司天在泉當在右故右
不應太陰司天在泉當在左故左不應依南政而論尺
寸也

此分六氣之位以見少陰之所在不應也○六氣
之位則少陰在中而厥陰居右太陰居左此不可
易也△言六氣右旋而其行列之位少陰在中而厥
陰居右太陰居左此一定之位不可易也△各醫方
考脉語六氣之位作六部之位○其少陰則主兩寸
尺厥陰司天在泉當在右故右不應太陰司天在泉
當在左故左不應△在右在左者南政南面以定左
右北政北面以定左右△右不應之右右寸△左不

應之左左寸△承上文言少陰在中故少陰則在脉
部位兼主兩寸兩尺厥陰司天則少陰當在右故右
寸不應北政厥陰在泉亦少陰在右右寸不應南政
太陰司天則少陰當在左故左寸不應北政太陰在
泉亦少陰在左左寸不應也又南政太陰在泉則右
尺不應北政太陰司天而亦右尺不應南政厥陰在
泉則左尺不應北政厥陰司天而亦左尺不應無非
少陰之所在矣此少陰主兩寸兩尺之謂然今溫舒
言右寸左寸之不應而不言右尺左尺之不應者蓋
略文也詳見圖翼二卷在辨證中卷○依南政而論
尺寸也△此南政者謂少陰非南北政之南政六氣
以少陰為君主故尊之為南政也△至真要大論馬
註惟以少陰為君主凡脉之司天在泉不應者皆以
少陰而論之△又曰夫南政為少陰司天則兩寸不
應今北政少陰在泉而亦兩寸不應者從君而不從
臣也故不以尺為主而以寸為主耳運氣全書所謂
依南政而診尺寸者是也△言南北政不應之位皆
少陰也故順年依少陰所在而論兩寸兩尺或右尺

左尺或右寸左
寸當不應也
若覆其手診之則陰沉於下反沉爲浮細爲大此用王注言有
不應者却應之診法也○診△陰陽應象大論馬註
診視驗也△又曰診之爲義有自診脉言者如脉要
精微論之謂有自診病言者如經脉別論之謂據此
節所言則診之爲義所該者廣凡望聞問切等法皆
可以言診也△脉要精微論張註診視也察也候脉
也凡切脉望色審問病因皆可言診而此節以診脉
爲言△至眞要大論諸不應者反其診則見矣王注
曰不應皆爲脉沉脉沉下者仰手而沉覆其手則沉
爲浮細爲大也△古今醫統卷之四註經文諸不應
反其診則見矣王注反診謂覆手診之以沉爲浮以
大爲細非其理也△張註凡南政之應在寸者則北
政應在尺北政之應在寸者則南政應在尺以南北
相反而診之則或寸或尺之不應者皆可見矣△按
王注非其理依張註可以知之然相因訛承用王注

非獨溫飽用之戴同父脉訣刊誤亦用之△脉訣刊誤曰古人診病必仰病人手而診醫者覆其手以三部九候菽重之法取之惟反其診者不然蓋南北二政之歲三陰司天在泉尺寸或有不應者反其診則應矣不應者脉沉不應診也覆病人手診之則脉見也沉者為浮細者為大捨此之外無覆手之診

又經曰尺寸反者死陰陽交者死先立其年以知其氣左右應見然後乃可言死生之逆順者更在診以別其反詳其交而後造死生之微也 此言南北政又有陰陽交尺寸反也○經△五運行大論○尺寸反者死陰陽交者死△張註此二句之義一以尺寸言一以左右言皆以少陰為之主也如陰當在尺則陽當在寸陰當在寸則陽當在尺左右亦然若陰之所在脉宜不應而反應陽之所在脉宜應而反不應其在尺寸則謂之反其在左右則謂之交皆當死也尺寸反者惟子午卯酉四年有之

陰陽交者惟寅申巳亥辰戌丑未八年有之君右尺寸獨然或左右獨然是爲氣不應非反非交也○先立其年以知其氣左右應見然後乃可言死生之逆順△本經可字下有以字△張註先立其年之南北政及司天在泉左右間應見之氣則知少陰君主之所在脉當不應而逆順乃可見矣　此章詳義具南北政圖說中在圖翼二卷△者字以下十九字温舒語也以釋經文之意○更在診△覆其手診之外更亦在診之○以別其反詳其交△其者指南北政而言△反尺寸反△交陰陽交○造△玉篇至也△應南北政者生陰陽交尺寸反者死故謹陰陽交別尺寸反而後至死生之微妙蓋人身無非陰陽之用故順其氣則生逆其氣則死也△醫學入門南北政註然此論其常也若天行時病則有不必拘者

運氣論奥疏鈔卷之六

特1
87

87

運氣論奧疏鈔　卷七
87

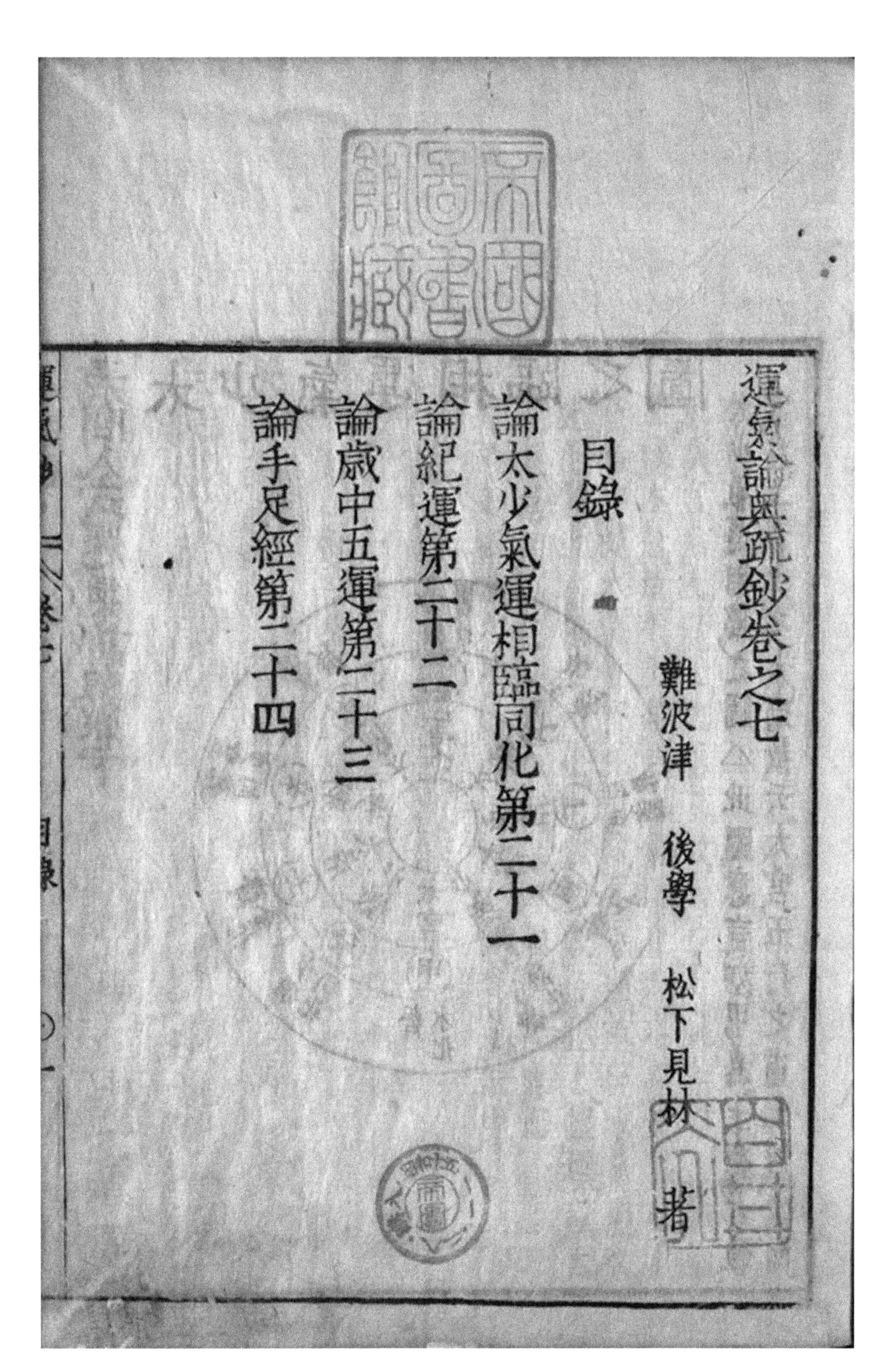

運氣論奥疏鈔卷之七

難波津　後學　松下見林　著

目錄

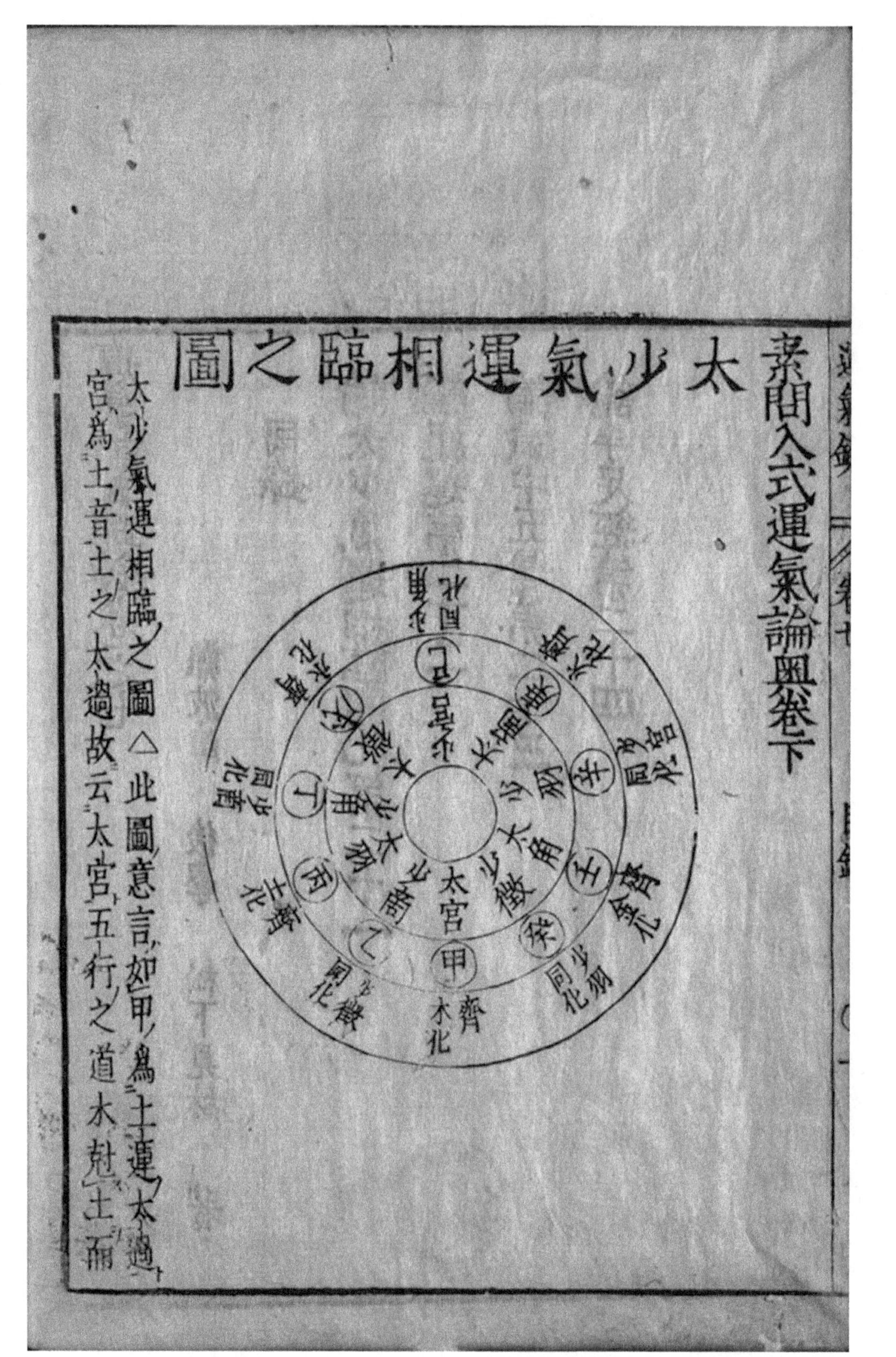

素問入式運氣論奧卷下

太少氣運相臨之圖

太少氣運相臨之圖△此圖意言如甲爲土運太過宮爲土音土之太過故云太宮五行之道木尅土而

土氣太過欲齊他不齊者以爲同氣故太宮之歲反齊木化爲土此太宮土木相臨同化也如巳爲土運不及宮爲土音土之不及故云少宮此年以土氣不及被木尅故雖土運兼木氣同化而本年土氣亦不能無非純木氣也實與少角之歲同故曰少角同化此少宮土木相臨同化也餘皆倣此圖上雖標以太少氣運相臨之圖圖中有太少相臨之意而無氣運相臨之義氣運相臨之說詳見論中

論太少氣運相臨同化第二十一

太少△一本少作小者非也○氣運△氣司天△運五運○相臨同化△化氣化

天地溝遘醇物我被化則寒暑燥濕風共主乎一歲之內生長化收藏咸備乎萬物之中非祇一歲也雖一時一刻之短而五行之氣莫不存非特一物也雖一毫一芒

之細而五行之化莫不載然司其運步其氣或太或少乃輪主歲時而更盛更衰也上達於天則有五星倍減之應下推於地則有五蟲耗育之驗其五穀五菓五味五色之化類豈有一歲而無者惟咸熟有多少色味有厚薄耳蓋金木水火土並行其化互有休囚王相不同之目而已直其運者獨以爲之主當其時者專以爲之客共行天令

〇此一篇之序言太少氣運之義也〇醇△莊子天下篇醇天地育萬物口義醇和也 物我△物謂鳥獸草木我謂人△孟子盡心上萬物皆備於我矣△或他人爲物我身爲我ト△呂與叔克己銘物我既立私爲町畦〇被化△化天地之氣化〇寒暑燥濕風共王乎一歲之内生長化収藏咸

備乎萬物之中△陰陽應象大論曰天有四時五行
以生長收藏以生寒暑燥濕風乃
天之所生也天有春夏秋冬之四時金木水火土之
五行以生長收藏而寒暑燥濕風之六氣從茲而生
焉蓋春屬木主生而風之所以生也夏屬火主長而
暑之所以生也長夏屬土主化而濕之所以生也秋
屬金主收而燥之所以生也冬屬水主藏而寒之所
以生也△寒暑燥濕風五行之氣生長化收藏五行
之化○祇△字彙音支適也但也○雖一時一刻之
短而五行之氣莫不存也△一時十二時之中一時
一刻毎時八刻二十分之中一刻△氣數統論曰十
根於一百根於十小之而釐毫塵杪大之而億兆無
量總屬五之所化而皆統於天之五中也△易蒙引
卷之二十造化之陰陽生生子在母腹之內實體本
然也實體之本然即一分為二之理也且以一歲言
之一歲本一氣耳分之而為寒暑則二氣矣又分而
為春夏秋冬則四氣矣四氣分為十二月則毎三月
之中從二至二分處析之則四而八矣皆一分為二

也又如十二八再分之為二十四氣則每月有二氣如正月立春雨水二月驚蟄春分之類是也二十四氣每氣有三候初中終之序也亦自其中而中分之為二也合之則為七十二候矣以至候又分日日又分時時又分刻刻又分息息而刻自刻而時自時而日自日而月以至於一歲其實只是一氣之運而有動靜耳雖積至於一元十二萬九千六百歲亦止一氣之運○特△字彙但也獨也○一物△萬物之中一物一草一木之類是也○雖一毫一芒之細而五行之化莫不載△毫王篇胡刀切長毛△芒字彙稻麥芒又草耑△鳥獸之一毛稻麥之一芒有始有終莫不具生長化收藏五行之化者△讀書録卷之七曰物各具五行之色如天地有五方土石有五色雲氣有五色之類是則萬物豈出於五行之外哉○然司其運步其氣△步字彙徐行△言五行為五運司其運為六氣步其氣步乃六步之步○或太或少乃輪主歲時而更盛更衰也△盛字應太衰字應少△天元紀大論曰形有盛衰謂五行之治各有太過

不及也馬註形有盛衰謂五行之治各有太過不及者地五運之形各有盛衰土有太少宮金有太少商水有太少羽木有太少角火有太少徵而太者太過少者不及也○上達於天則有五星倍減之應△上達於天有五行之氣上通於天之義然以下推於地對者則謂了達天文觀之也△五星之義見四時氣候抄中△倍減光之倍減也△歲運太過運星倍歲運不及運星減也△按氣交變大論歲木太過之下曰上應歲星張註木星也木氣勝則歲星明而專其令上應太白星金星也木勝而金制之故太白星光芒以應其氣是歲木之爲災先臨宿屬金氣之後則熒惑無光辰星増曜宿屬爲災復則上應鎮星辰及東方歲火不及之下曰上應熒惑辰星水行乘火星土復於水故鎮星明潤辰星減光五運太過不及上應五星倍減之例皆倣此今舉經文易曉者爲例詳見氣交變大論△又氣交變大論曰芒而大倍常之一其化甚大常之二其眚卽也小常之一其化減小常之二是謂臨視省下之過與其德也德者福之

過者伐之○下推於地則有五蟲耗育之驗△五蟲五行之蟲△五常政大論張註如毛蟲三百六十麟爲之長羽蟲三百六十鳳爲之長倮蟲三百六十人爲之長介蟲三百六十龜爲之長鱗蟲三百六十龍爲之長△按張氏說五蟲之長出家語執轡篇凡諸有形動物其大小高下五色之異各有其類通謂之蟲也然毛蟲屬木羽蟲屬火倮蟲屬土介蟲屬金鱗蟲屬水△五運行大論張註毛虫叢植得木氣也羽蟲飛揚得火氣也赤體曰倮土應肉也倮卽果切皮甲堅固得金氣也鱗潛就下得水氣也△耗育五蟲每歲有隨司天在泉之氣或耗損者或多孕育者也△五常政大論帝曰歲有胎孕不育治之不全何氣使然張註治謂治歲之氣岐伯曰六氣五類有相勝制也同者盛之異者衰之此天地之道生化之常也五類者五行所化各有其類如毛蟲三百六十麟爲之長云云鱗蟲屬水六氣五類各有相生相制同者同其氣故盛異者異其氣故衰故厥陰司天毛蟲靜羽蟲育介蟲不成巳亥年也厥陰風木司天則少陽相

火在泉毛蟲同天之氣故安靜無損羽蟲同地之氣
故多育火制金之化故介蟲不成在泉毛蟲育倮蟲
耗羽蟲不育寅申歲也厥陰風木在泉毛蟲同其氣
故育木克土故倮蟲耗木鬱於下火失其生故羽蟲
雖生而不育○按此六氣五類勝制不育歲有司天
在泉之分故其氣應各有時而五類之生育亦各有
時以生育之期而合氣應之候再以五色五性參其
盛衰無不應者觀六元正紀大論自歲半之前天氣
主之歲半之後地氣主之上下交互氣交主之則司
天之氣當自大寒節為始以主上半年在泉之氣當
自大暑節為始以主下半年上下交互之氣則間於
二者之間而主乎中也少陰司天羽蟲靜介蟲育毛
蟲不成子午歲也少陰君火司天羽蟲同天之氣故
安靜介蟲同地之氣故育金氣在地則木衰故毛蟲
胎孕不成在泉羽蟲育介蟲耗不育少陰在泉卯酉
歲也羽蟲同其氣故育介蟲受其制故耗而不育太
陰司天倮蟲靜鱗蟲育羽蟲不成太陰濕土司天丑
未歲也倮蟲同天之氣故安靜無損鱗蟲同地之氣

故育在泉水剋其火衰故羽蟲胎孕不成在泉倮蟲育鱗蟲不成太陰在泉辰戌歳也倮蟲同其氣故育鱗蟲受其制故不成○詳此少一耗蟲少陽司天羽蟲靜毛蟲育倮蟲不成少陽相火司天寅申歳也羽蟲同天之氣故靜毛蟲同地之氣故育在泉木盛則土衰故倮蟲不成在泉羽蟲育介蟲耗毛蟲不育少陽在泉巳亥歳也羽蟲同其氣故育介蟲受其制故耗火在泉則木爲退氣故毛蟲亦不育陽明司天介蟲靜羽蟲育介蟲不成陽明燥金司天卯酉歳也介蟲同天之氣故靜羽蟲同地之氣故育復言介蟲不成者雖同乎天氣而實制乎地氣也在泉介蟲育毛蟲耗羽蟲不成陽明在泉子午歳也介蟲同其氣故育毛蟲受其制故耗金火之氣不相和故羽蟲不成太陽司天鱗蟲靜倮蟲育太陽寒水司天辰戌歳也鱗蟲同天之化故靜倮蟲同地之化故育在泉鱗蟲耗倮蟲不育太陽在泉丑未歳也鱗蟲同其氣故育羽蟲受其制故耗水土之氣不相和故倮蟲不育○按此當云鱗蟲育羽蟲耗今於鱗蟲下缺育羽蟲三十

字必脱簡也○五穀△靈樞五味篇曰五穀秔米甘麻酸大豆鹹麥苦黄黍辛張註秔俗作粳麻芝麻也大豆黄黒青白等豆均稱大豆黍糯小米也可以釀酒北人呼為黄米又曰黍子此五穀之味合五行者秔音庚○五菓△五味篇曰五菓棗甘李酸栗鹹杏苦桃辛張註此五果之味合五行者○五味△甘酸鹹苦辛△陰陽應象大論曰木生酸火生苦土生甘金生辛水生鹹○五色△五味篇曰五色黄色宜甘青色宜酸黒色宜鹹赤色宜苦白色宜辛凡此五者各有所宜五宜所言五色者張註此五色之合於五味者○化△生化○類△文選四十二觀古今文人類不護細行向曰類例○豈有一歲而無者△無全無也○惟成熟有多少色味有厚薄耳△成熟五穀五菓等成熟也△色五色味五味△厚薄於色濃色薄色於味美味淡味也△五常政大論曰氣始而生化氣散而有形氣布而蕃育氣終而象變其致一也然而五味所資生化有薄厚成熟有少多終始不同張註此言萬物之始終散布本同一氣及其生化成

熟乃各有厚薄少多之異也○蓋△自此以下釋其五穀五菓五味五色之化類豈有一歲而無者惟成熟有多少色味有厚薄耳○並行△中庸曰道並行而不相悖章句四時日月錯行代明而不相悖○其化△其者指五行而言△化生化○休囚旺相△張果星宗大全卷七當時者旺註如春令木旺我生者相加木旺火相生我者休加春令水休尅我者囚如春令金囚我尅者死加春令土死且如木旺於春七十二日當時者旺相於夏七十二日我生者相休於冬七十二日生我者休囚於秋七十二日尅我者囚死於季月中節我尅者死

△又星宗大全第一卷

五行四時例

		旺	相	休	囚	死
正月二月 孟仲	春	木	火	水	金	土
四月五月 孟仲	夏	火	土	木	水	金
三六九十二月 季	季	土	金	火	木	水
七月八月 孟仲	秋	金	水	土	火	木
十月十一月 孟仲	冬	水	木	金	土	火

△按王者即旺也旺氣之盛而明也相輔助王氣也休老而衰也囚爲盛氣之所囚也死所尅而死也今以太過之歲應運者爲王不及之歲亦勝者爲王相囚休死依此推之○見△名目△言六十歲之中金木水火土五行無不並行其五者之於化也互有王相休囚死之不同故每年王相者成熟多色味厚休囚死者成熟少色味薄凡五運代主其年直其運者獨爲之主然五行之氣無時而不行故於四時亦各有其時其餘四氣當其時於運氣猶賓客也相共行天令

遇陽年則氣王而太過遇陰年則氣衰而不及太過已勝則欲齊其所勝之化不及已弱則勝者來兼其化太過歲謂木齊金化金齊火化火齊水化水齊土化土齊木化也不及歲謂木兼金同化金兼火同化火兼水同

化水兼土同化土兼木同化也

此言太少相臨之義也○陽年△甲丙戊庚壬五陽年也○氣王而太過△氣運之氣○陰年△乙丁己辛癸五陰年也○氣衰而不及△氣亦運之氣○太過己勝則欲齊其所勝之化△承上言氣王而太過之義△己勝己勝他也△齊欲合他而為一也△運氣易覧五運齊化歌曰五行太過名齊化凡遇陽年即可推勝己若臨逢我旺彼雖尅我我齊之註齊如木欲金是也△所勝所勝己者也△化氣化△六節藏象論曰未至而至此謂太過則薄所不勝而乘所勝也命曰氣淫○不及己弱則勝者來兼其化△言氣衰而不及之義△己弱己氣弱也△勝者勝己者△兼説文并也△運氣易覧五運兼化歌曰五行不及為兼化年値陰兮候用占我氣已衰行正令其間勝己必來兼註兼謂強者兼弱而同化如水兼火是也△其化不及之化也△六節藏象論曰至而不至此謂不及則所勝妄行而所生受病所不勝薄之也命曰氣迫○太過歳謂木齊金化金齊火化火

齊水化，水齊土化，土齊木化也△解上文太過已勝則欲齊其所勝之化之意△木齊金化木運太過壬年齊所勝已之金化也△金齊火化金運太過庚年齊所勝已之火化也△火齊水化火運太過戊年齊所勝已之水化也△水齊土化水運太過丙年齊所勝已之土化也△土齊木化土運太過甲年齊所勝已之木化也△圖翼曰齊化凡陽年太過則為我旺枯過甚我之氣其有不能勝我我反齊之加戊運水司天土羽同正徵是以火齊水也庚運火司天上徵同正商是以金齊火也○不及歲謂木兼金同化金兼火同化火兼水同化水兼土同化土兼木同化也△解上文不及已弱則勝者來兼其化之意△木兼金同化木運不及丁年金來尅木兼其化木乃同化而兼金氣也△金兼火同化金運不及乙年火來尅金兼其化金乃同化而兼金氣也△火兼水同化火運不及癸年水來尅火兼其化火乃同化而兼水氣也△水兼土同化水運不及辛年土來尅水兼其化水乃同化而兼土氣也△土兼木同化土運不及已年木來乘土故其化土乃同化而兼木氣也△圖翼曰兼化凡陰年不及則爲我弱我弱則勝我者來兼我化以強兼弱也如己運木司天上角同正角是以木兼土也辛運水司天上宮同正宮是以土兼水也丁運金司天上商同正商是以金兼木也

其司天與運相臨間有逆順相刑相佐司天則同其正抑運則反其平如是五氣平正則無相陵犯也自此以下言運與司天相臨之義此先明其大意也○逆△小逆○順△順化○相刑△天刑○相佐△天符○司天則同其正抑運則反其平△言司天同化正抑運爲平氣之歲運則反其平也○五氣△五運之氣○陵△字彙乘也犯也侮也侵也○犯△△字彙觸也干也侵也僭也

太過之歲五運各主六年乃五六三十陽年也此言六十年中

太過之歲有三十年也△圖翼曰太過歲凡五運陽年各主六年五六共三十年太過之年反齊勝己之化如太宮土運反齊木化太角木運反齊金化太商金運反齊火化太徵火運反齊水化太羽水運反齊土化

也

太角謂六壬年逢子午寅申二火司天則木運爲逆者火木之子也居其上爲逆自此以下五節言太過之歲◎六壬△六十年中十干各六故壬曰六壬餘皆倣此◎子午寅申二火司天△子午少陰君火司天寅申少陽相火司天△刺法論曰君相二火司天◎則木運爲逆△五常政大論發生之紀上徵則其氣逆其病吐利張註上徵者司天見少陰君火少陽相火乃壬子壬午壬寅壬申四年是也木氣有餘而上行生火子居母上是爲氣逆故其爲病如此五運行大論曰氣相得而病者以下臨上不當位者是也　按此不言壬辰壬戌上羽者水

木相臨爲順故不及之○居其上△其者指木而言△運氣易覽註子居父位△圖翼曰太角六壬年也木運太過若逢子午寅申二火司天則爲逆以子居父上也

太徵謂六戊年內逢寒水司天正抑其火復爲平氣之歲上羽與正徵同也內△戊年內○正抑其火△抑火之太過也○復△反復△字彙還也○上羽與正徵同△五常政大論赫曦之紀上羽與正徵同張註上羽者太陽寒水司天戊辰戊戌年是也火運大過得水制之則與升明正徵同其化△正徵火運之平氣也△運氣易覽曰正徵戊午之類△圖翼曰太徵六戊年也火運太過若逢辰戌寒水司天則太徵被抑乃得其平所謂上羽與正徵同也

太宮謂六甲年也圖翼無謂字△五常政大論敦阜之紀張註按甲土六年甲子甲午甲寅甲申上徵也甲辰甲戌上羽也此俱不言者以不能犯於土也故皆不及之

太商謂六庚年也内逢子午寅申二火司天正抑其金復為平氣之歲上徵與正商同也逢辰戌水司天為逆者水金之子也居上為逆

○正抑其金△抑金之太過也○上徵與正商同△五常政大論堅成之紀上徵與正商同張註上徵者少陰少陽二火司天謂庚子庚午庚寅庚申四年也金氣太過得火制之則同審平之化故與正商同○按此不言庚辰庚戌上寒者以金水無犯也△正商金運之平氣也△運氣易覽曰正商乙酉之類○逢辰戌水司天△運氣易覽曰庚辰庚戌△水太陽寒水△圖翼曰太商六庚年也金運太過若逢子午君火寅申相火司天之年則太商被天之抑乃得其平所謂上徵與正商同也正商者如乙酉比和之類餘放此若逢辰戌寒水司天亦為小逆以水為金子子居父上故曰逆

餘放此

太羽謂六丙年也圖翼無謬字△五常政大論流衍之紀上羽而長氣不化也張註上羽者太陽寒水司天丙辰丙戌歳也水氣有餘又得其助則火之長氣不能布其化矣　按此不言丙子丙午丙寅丙申上徵者運所勝也

不及歳五運各主六年乃五六三十年陰年也此言六十年中不及之歳有三十年也△圖翼曰不及歳五運陰年各七六年五六共三十年不及之年則勝者來兼其化如少宮土運木來兼化少角木運金來兼化少商金運火來兼化少徵火運水來兼化少羽水運土來兼化也

少角謂六丁年也逢巳亥木司天與運氣得助上角同正角也逢卯酉金司天與運兼化上商同正商也逢丑

未土司天以木不及金兼化則土得其政上宮同正宮也

自此以下言不及之歲◎木司天△木厥陰風木◎與運氣得助△運氣運之氣◎上角同正角△五常政大論委和之紀上角與正角同張註此丁巳丁亥年也上見厥陰司天是為上角歲運不及而得司天之助則得其歟和之平故與正角同也△正角木運之平氣也△運氣易覽曰正角丁卯之類◎逢卯酉金司天與運兼化△金陽明燥金△與運兼化司天金尅運木以金兼木化也◎上商同正商△五常政大論委和之紀上商與正商同張註此丁卯丁酉年也木運不及則半兼金化若遇陽明司天金又有助是以木運之紀而得審平之化故上商與正商同也△正商金運之平氣也◎逢丑未土司天△土太陰濕土◎以木不及△丁年木不及也◎金兼化則土得其政△此金者所指不一金兼化即前所謂木兼金同化之義△土太陰濕土△言如丁年土司天木運不及金來兼化則土不受木尅而得其政如是年

為得政言司天得權政令也△圖翼曰得政如乙年陰金木司天金運不及火來兼化則木不受克而得其政所謂上角同正角也丁年陰木土司天木運不及金來兼化則土不受克而得其政所謂上宮同正宮也癸年陰火金司天火運不及水來兼化則金不受克而得其政所謂上商同正商也此雖非亢則害然亦以子救母而實則承廼制之義○上宮同正宮△五常政大論委和之紀上宮與正宮同張註此丁丑丁未年也上宮者太陰司天也歲木不及則土得自專又見濕土司天之助是以木運之紀而行備化之政故上宮與正宮同也△正宮土運之平氣也△運氣易覽曰正宮巳未之類△圖翼曰少角六丁年也木運不及若逢巳亥風木司天為中運得助所謂上角同正角也若逢卯酉燥金司天則金兼木化所謂上商同正商也若逢丑未濕土司天以木不及金來兼從則土得其政所謂上宮同正宮也

少徵謂六癸年也內逢卯酉金司天以火不及水兼化

則金得其政上商同正商也以火不及△癸年火不及也○水兼化則金得其政

△水兼化則前所謂火兼水同化之義△金陽明燥金○上商同正商△五常政大論伏明之紀上商與正商同張註癸卯癸酉年也上見陽明司天是爲上商歲火不及則金無所畏又得燥金司天之助是以火運之紀而行審平之氣故曰上商與正商同也

按少徵六年癸丑癸未上宮也癸巳癸亥上角也此止言上商而不及宮角者以火與土木無所克伐而同歸少羽之化矣△圖翼曰少徵六癸年也火運不及若逢卯酉燥金司天之年以火不及水來兼化則金得其政所謂上商同正商也

少宮謂六己年也丙逢丑未土司天與運合得其助上宮同正宮也逢巳亥木司天與運兼化上角同正角也

逢丑未土司天與運合得其助△合者同氣相合也○上宮同正宮△五常政大論卑監之紀上宮與正

宮同張註上宮者太陰濕土司天也歲土不及而有司天之助是以少宮之紀而得備化之氣故與正宮同己丑己未年是也○逢巳亥木司天與運兼化△言司天木尅運土以木兼土化也○上角同正角△五常政大論卑監之紀上角與正角同張註上角者厥陰風木司天也歲土不及則半兼木化若遇厥陰司天木又有助是以土運之紀而行敷和之化故上角與正角同己巳己亥年是也　按此不言己卯己酉上商者以土金無犯故不紀之△圖翼曰少宮六己年也土運不及若逢丑未濕土司天為中運得助所謂上宮同正宮也若逢巳亥風木司天則木兼土化所謂上角同正角也

少商謂六乙年也內逢卯酉金司天與運氣合得其助上商同正商也逢巳亥木司天以金不及火兼化則木得其政上角同正角也　上商同正商△五常政大論從革之紀上商與正商同張註上

商若陽明燥金司天也歲金不及而有司天之助是以少商之紀而得審平之氣故與正商同乙卯乙酉年是也○以金不及△乙年金不及也○火兼化則木得其政△火兼化即前所謂金兼火同化之義△木厥陰風木○上角同正角△五常政大論從革之紀上角與正角同張註歲金不及而上見厥陰司天木無所畏則木齊金化故與正角之氣同乙巳乙亥年是也　按此不言乙丑乙未上宮者土金無犯也故不及之△圖翼曰少商六乙年也金運不及若逢卯酉燥金司天爲中運得助所謂上商同正商也若逢巳亥風木司天以金不及火來乘化則木得其政所謂上角同正角也

少羽謂六辛年也逢丑未土司天與運兼化上宮同正宮也逢丑未土司天與運兼化△言司天土尅運水以土兼水化也○上宮同正宮△五常政大論涸流之紀上宮與正宮同張註上宮太陰司天也水衰土勝之年若司天遇土又得其助是以少羽之紀而行

備化之氣故上宮與正宮同辛丑辛未年是也　按此不言辛巳辛亥上角者水木無犯也辛卯辛酉上商者金木無犯也故皆不及之△圖翼曰少羽六辛年也水運不及若逢丑未濕土司天則土兼水化所謂上宮同正宮也

内經言上者乃司天之令其五太五少歲所紀不同者蓋遇不遇也如君火相火寒水常為陽年司天濕土燥金風木常為陰年司天然六十年中各有上下臨遇或司天勝運或運勝司天或運當太過不務其德而淫勝其所不勝或運當不及而避其所勝而不兼其化及太一天符歲會同天符同歲會更按文推之此不再書也　此結

上文也○內言上者△內篇內指上文也△上上宮
上羽之上○乃司天之令△圖翼曰右九諸言上者
司天爲上也諸言正宮正商類者乃五運之平氣爲
正也○其五太五少歲所紀不同者蓋遇不遇也△
圖翼曰五運太少所紀各不同者蓋有遇有不遇也
△五太太角太徵太宮太商太羽△五少少角少徵
少宮少商少羽△圖翼曰氣運有盛衰之殊年干有
太少之異陽年曰五太因其氣旺有餘也陰年曰五
少因其氣衰不及也△所紀不同謂逆平氣之歲六
甲年六丙年得助得政兼化七者不同也△遇運與
司天五行之氣相遇也即指六丙年得助二者△不
遇運與司天五行之氣不相遇也即指逆平氣之歲
六甲年得政兼化五者△莊子知北遊篇曰夫知遇
而不知所不遇口義遇可見者也不遇不可見者也
○如君火相火寒水常爲陽年司天△陽年甲丙戊
庚壬五年○濕土燥金風木常爲陰年司天△陰年
乙丁巳辛癸五年○上下臨遇△上司天△下五運
五運本在中而比司天爲下△五運行大論曰上下

相遘寒暑相臨氣相得則和不相得則病張註臨遇
也司天在上五運在中在泉在下三氣之交是上下
相遘而寒暑相臨也所遇之氣彼此相生者為相得
而安彼此相剋者為不相得而病矣○或司天勝運
△天刑也○或運勝司天△不和也○或運當太過
不務其德而淫勝其所不勝△不務其德△恃強盛
也△五常政大論曰不務其德則收氣復秋氣勁切
△六節藏象論曰未至而至此謂太過則薄所不勝
而乘所勝也命曰氣淫張註未至而至謂時未至而
氣先至此太過也太過則薄所不勝而乘所勝者凡
五行之氣克我者為所不勝我克者為所勝假如木
氣有餘金不能制而木反侮金薄所不勝也木盛而
土受其克乘所勝也故命曰氣淫淫者恃已之強而
肆為淫虐也餘太過之氣皆同○或運當不及而避
其所勝而不兼其化△所勝已所勝也△不兼其化
兼勝已者之化而不兼已所勝之化也○及△運氣
易覽作其他○更按文推之此不再書也△
文七文△運氣易覽曰已見他篇不復敷也

紀運之圖

論紀運第二十二

紀運△五運有太過不及平氣之不同各名以紀之是為紀運△五常政大論黃帝問曰太虚寥廓五運廻薄衰盛不同損益相從願聞平氣何如而名何如而紀也岐伯對曰昭乎哉問也木曰敷和火曰升明

土曰備化金曰審平水曰靜順帝曰其不及奈何岐伯曰木曰委和火曰伏明土曰卑監金曰從革水曰涸流帝曰太過何謂岐伯曰木曰發生火曰赫曦土曰敦阜金曰堅成水曰流衍△名義詳見篇內鈔中

十干之中五陰五陽也立為五運太過不及互相乘之其不及之歲則所勝者來尅蓋運之虛故也則其間自有歲會同歲會亦氣之平外有年辰相合及交氣日時干相合則得為已助號曰平氣乃得歲氣之平其物生脉應皆必合期無先後也聖人立名以紀之此言聖人紀運之由也○十干之中五陰五陽也△上卷曰甲丙戊庚壬為陽乙丁巳辛癸為陰○立為五運△立五陰五陽為五運每運各有陰陽○太過不及互相乘之△理數曰抄十三曰陽年為太過陰年為不及太過為實

不及為虚△之者謂五陰五陽○則其間自有歳會同歳會亦氣之平△其者損不及之歳而言△歳會者中運與年支同其氣化也九八年見前八年之中太過不及相半皆非不及也歳會二字恐衍△同歳會者中運與在泉合其氣化九六年皆陰年也△亦字當在下文外字下顛倒在此○外有年辰相合及交氣日時干相合則得為已助號曰平氣△外同歳會等之外也△年辰相合年支之氣合運之氣也△年辰相合者如癸巳辛亥是也△交氣日時干六氣初交日時之干也△交氣日時干相合者干德符也△已上謂不及之歳○物生脉應皆必合則無先後△見論歳會篇△六元正紀大論曰運有餘其至先運不及其至後張註至先者氣先節候而至至後者氣後節候而至也△醫學入門曰太過其至先大寒前十三日交名曰先天不及其至後大寒後十三日交名曰後天平氣之年正大寒日交不先不後名曰齊天○聖人立名以紀之△聖人黄帝岐伯也△各半氣之名△五常政大論黄帝問曰太虚寥廓五運迴

薄衰盛不同損益相從願聞平氣何如而名何如而紀也岐伯對曰昭乎哉問也木曰敷和火曰升明土曰備化金曰審平水曰靜順△名義共見下○按王德符之名內經不見蓋後世所名平氣中之小目也

假令辛亥歲水運當云平氣何也辛為水運陰年遇亥屬北方水相佐則水氣乃平假令癸巳年火運亦曰平氣何也癸為火運陰年巳屬南方火相佐則火氣乃平

自此下三節言不及之歲有平氣例也○辛亥歲水運當云平氣何也△言辛水運不及辛亥歲云平氣者何哉○遇△字彙不期而會也○亥屬北方水相佐△相佐同氣相佐也△六元正紀大論新校正云辛亥年為水平氣以亥為水相佐為正羽○癸巳年火運亦曰平氣何也△言癸火運不及癸巳年亦為平氣何哉△六元正紀大論新校正云詳癸巳正徵火氣平一謂巳為火亦名歲會二謂水未得化三謂

五月戊午月癸得戊合故得平氣

又每年交初氣於年前大寒日假令丁亥交司之日遇日朔與壬合名曰干德符符者合也便爲平氣若交司之時遇壬亦曰干德符除此交初氣日時之後相遇皆不相濟也餘皆倣此所謂甲己合乙庚合丙辛合丁壬合戊癸合是也

年前△當年前去冬也○交司之日△素問遺篇本病論曰交司之日張註新舊之交大寒日也○日朔△猶言曆日△論語八佾篇子貢欲去告朔之餼羊集註曰告朔之禮古者天子常以季冬頒來歲十二月之朔于諸侯諸侯受而藏之祖廟月朔則以特羊告廟請而行之　蒙引頒朔是頒曆也曆有十二月朔十二月之朔也朔只是其初一日舉朔以該餘日也古者視朔則初一日尤重

也首事以朔聞視朔之禮當今之制猶然△淮南子時則訓曰為來歲受朔自注受朔自如今計吏朝賀豫明年之曆日也○與壬合△按日朔丁年大寒初日得壬則丁與壬合○名曰干德符△此日干德符也○符者合也△言干德符之符合之義也五運年干與交司日干剛柔合德猶十干配合為五化之運故曰干德符○便為平氣△干德符之歲便為平氣○若交司之時遇壬亦曰干德符△言丁年交司之時遇壬亦為干德符是時干德符也○除此交初氣日時之後相遇皆不相濟也△言如此交初氣日時干遇年干則濟不及為干德符若除此他日時相遇皆非干德符也○餘皆倣此△餘謂巳乙辛癸等年干德符△上舉丁亥年干德符一例餘歲推干德符亦同此例故曰餘皆倣此○所謂甲巳合乙庚合丙辛合丁壬合戊癸合是也△引王注言陰年五運之干與交司日時之干合合之法也△五運行大論土主甲巳金主乙庚水主丙辛木主丁壬火主戊癸王注陰陽法曰甲巳合乙庚合丙辛合丁壬合戊癸合

蓋取聖人仰觀天象之義〈〉又圖翼作所謂合者甲與己合乙與庚合丙與辛合丁與壬合戊與癸合也文義為彼善於此△圖翼曰干德符謂新運初交之月日時與運相合者亦得其平如丁亥年初交之月日時得壬者則壬與丁合之類是也非初交之時且則不相濟所謂合者甲與己合乙與庚合丙與辛合丁與壬合戊與癸合也

又陰年中君逢月干皆符合相濟君未逢勝而見之干合者亦為平氣君行勝已後行復已畢逢月干者即得正位

君逢月干皆符合相濟△月干月建之干△皆字衍字與△此謂逢勝氣未行復之際月干符合濟不及△六元正紀大論新校正云乙巳歲火來小勝巳為火佐於勝也即於二月中氣君火時化日火來行勝不待水復遇三月庚辰且乙見庚而氣自全金還正商○君未逢勝而見之干合者亦為平氣△此

言勝氣未至月建之干相助合者△干月建之干△
六元正紀大論新校正云詳丁年正月壬寅爲干德
符便爲平氣勝復不至運同正角金不勝木木亦不
災土△又云詳乙亥年三月得庚辰月見干德符即
氣還正商火未得王而先平火不勝則水不復又亥
是水得力年故火不勝也○亦爲平氣△亦字應前
干德符○若行勝已後行復已畢逢月干者即得正
位△此言被勝既復之後月建之干相合即亦獲平
氣者△運氣易覽曰行勝已後行復畢本氣即得正
德位註如丁酉歲木運不及當金行勝十一月建壬
與丁合此木逢勝己卯歲土不及當木行勝金行復
至九月建甲與己合土乃還位此行勝已後亦行復
已畢也△六元正紀大論己丑己未歲新校正云詳
是歲木得初氣而來勝脾乃病久土至危金乃來復
至九月甲戌月已得甲合土還正宮△正位之正正
宮正商等正也謂爲平氣而歲氣得其所△易坤卦
文言曰正位居體蒙引此正位二字與王居
無咎正位也之正位同正字活看謂當尊也

則太過不及平氣紀歲者當推而紀之故平氣之歲不可預紀之十干之下列以陰陽年而紀者此乃太槩設此庶易知也平氣紀須以當年之辰日時干依法推之

自此下言太過不及平氣之紀也○則太過不及平氣紀歲者當推而紀之△則字承上文△言五運有太過不及平氣三者之紀其各主歲者當以此推而紀之△紀歲者主歲之義紀綱紀之紀言周施其氣也△至眞要大論曰主歲者紀歲張註主歲者紀歲司天主歲半之前在泉主歲半之後也○故平氣之歲不可預紀之△故字亦結前△言得平氣不一準若年辰相合及交氣日時干相合及月建之干相合而後爲平氣如上文所論故平氣之歲不可預紀之但須當其年紀之△預謂會先也△五常政大論敷和之紀新校正云按王注太過不及各紀年辰惟平運不紀者蓋平氣之歲不可以定紀也或者欲補註

云丁巳丁亥丁卯壬寅壬申歲者是未盡也下放此
○十干之下列以陰陽年而紀者此乃太槩設此庶
易知也△此言圖中紀平氣之名△當去陽字△十
干之下列以陰年而紀如丁下列以陰字紀曰平敷
和之類△太槩推平氣太槩也△助語辭曰如太槩
則用槩於手斛之而坦然一平△設此設此篇圖中
也△設字彙置也陳也△知知平氣之歲也○平氣
紀須以當年之辰日時干依法推之△言陰年中有
平氣之紀故圖中設其太槩而其知有平氣者須以
當年十二辰及交氣日時干依前法看其氣合陰年
五運而
推之

是以木運太角歲曰發生太過少角歲曰委和不及正角歲
曰敷和平氣火運太徵歲曰赫曦太過少徵歲曰伏明不及正
徵歲曰升明平氣土運太宮歲曰敦阜太過少宮歲曰卑監

不及正宮歲曰備化平氣金運太商歲曰堅成太過少商歲曰從革不及正商歲曰審平平氣水運太羽歲曰流衍太過少羽歲曰涸流不及正羽歲曰靜順平氣各以紀之也

此言五運各有太過不及平氣之紀也○太角△木之太過○發生△五常政大論張註木氣有餘發生盛也○少角△木之不及○委和△張註陽和委屈發生少也○正角△木之平氣○敷和△張註木得其平則敷布和氣以生萬物△按太角下曰太過少角下曰不及正角下曰平氣各註之以示初學也下皆倣此○太徵△火之太過○赫曦△張註陽光炎盛也赫音黒曦音希○少徵△火之不及○伏明△張註陽德不彰光明伏也○正徵△火之平氣○升明△張註陽之性升其德明顯○太宮△土之太過○敦阜△張註敦厚也阜高也土本高厚此言其尤盛也○少宮△土之不及○卑監△王注土雖卑少猶監萬物之生化也

△張註氣脩不逹政屈不化也○正宮△土之平氣
○備化△張註土含萬物無所不備土生萬物無所
不化也○太商△金之太過○堅成△王注氣爽風勁
堅成庶物△張註金性堅剛用能成物其氣有餘則
堅成尤甚也○少商△金之不及○從革△張註金之
性本剛共不及則從火化而變革也○正商△金之
平氣○審平△張註金主殺伐和則清靜故曰審平
無妄刑也○太羽△水之太過○流衍△張註衍滿
而溢也○少羽△水之不及○涸流△張註水氣不
及則源流乾涸也△涸字彙曷各切音鶴水竭○正
羽△水之平氣○靜順△張註水體清靜性柔而順
○各以紀之也△言聖人每運各立太過不及平氣
之名以紀
之如此

氣之平則同正化無過與不及也 此又言平氣之義也○正化△六元正紀
大論曰正化度也張註正化正氣所化也△同正化
者假令上羽與正徵同之意△言歲氣之平者年辰

相合及交氣日時干相合若逢司天及月建之干
等太過同正化不及同正化而無有過不及也
又詳太過運中有爲司天之氣所抑者亦爲平氣則赫
曦之紀寒水司天二年堅成之紀二火司天四年皆平
氣之歲也此言太過之歲有平氣例也○爲司天之氣
所抑△運爲司天所相尅也○赤爲平氣△
太過之氣歲爲平氣也○赫曦之紀寒水司天二年
△運氣易覽註戊辰戊戌△言戊辰戊戌二年火運
太過而爲太陽寒水司天水抑運火火乃還平
○堅成之紀二火司天四年△運氣易覽註庚子庚
午庚寅庚申△言庚子庚午庚寅庚申四年金運太
過而子午爲少陰君火司天寅申爲少陽相火司天
俱司天火抑運金金乃還平△太過不及逢司天爲
平氣之義詳見前第二十一篇△又理數日鈔十三
卷曰升明之紀謂戊辰戊戌二年也火本太過上逢
太刑尅之減而得其平也癸巳癸亥二年火本不及

上逢順化天氣生之助而得其平也備化之紀謂己丑己未二年上逢太乙天符助之得其平也氣化均審平之紀謂庚子庚午二年上逢君火庚寅庚申二年上逢相火天刑尅之減而得其平也乙丑乙未二年上逢順化生之乙卯年天符乙酉年逢太乙天符助之得其平也氣化均靜順之紀謂辛酉辛卯二年上逢順化生之得其平也氣化均敷和之紀謂丁巳丁亥二年土本不及上符天符助之得平也氣化均

歲中五運圖

歳中五運圖△運氣易覽作太運主運太少之圖歌曰木初火二土三期金四相維五水參此號歳中之主運靜而不動距虛談△歳中五運者即主運也五運行於年內故為歳中五運此圖意以為每歳之主運皆起於角而以次下生而為羽但歳氣有大過不及而主運有太少之異耳假令甲年為陽土運屬太宮用事而上推至初運之角則其生太宮者少徵也生少徵者太角也是以甲年之主運起太角太少相生而終於太羽已年為陰土運屬少宮用事而上推至初運之角則其生少宮者太徵也生太徵者少角也是已年之主運起少角亦少太相生而終於少羽也又如乙年為陰金運屬少商而上推至初運之角則其生少商者太宮也生太宮者少徵也生少徵者太角也是乙年之主運起太角而終於太羽庚年為太商上推至角屬少角而終於少羽也餘年放此

論歳中五運第二十三

地之六位則分主於四時天之五運亦相生而終歲度在素問篇中止見於六元正紀大論每十歲一司天文中云初終正而已此則是一歲主運也此序分言主運之義出於素問也〇地之六位△主氣〇天之五運△主運△五運者天干氣化之五行故主運亦為天之五運〇亦相生而終歲度△亦字應地之六位△主氣以五行相生爲序分主四時而司地化以爲春夏秋冬歲之常令主運必始於角而終於羽二一定不易亦五行相生以時交司而爲每歲之常令也△歲度二一歲三百六十五日零二十五刻正合乎周天三百六十五度四分度之一故曰歲度△運氣易覽註度日也〇在素問篇中△言主運之義在素問中〇六元正紀大論△素問篇名△馬注前天元紀大論末節雖以厥陰之上風氣主之等云爲六元彼乃名篇曰天元紀大論此末有暑曰六元正紀故遂名篇其義發彼之所

未盡也○毎十歲一司天文中云初終正而已此則
是十二歲主運也△按六元正紀大論六氣行六十年
司天每氣各十年太陽司天則辰戌之紀也壬辰壬
戌歲戊辰戊戌歲甲辰甲戌歲庚辰庚戌歲丙辰丙
戌歲陽明司天則卯酉之紀也丁卯丁酉歲癸卯癸
酉歲己卯己酉歲乙卯乙酉歲辛卯辛酉歲少陽司
天則寅申之紀也壬寅壬申歲戊寅戊申歲甲寅甲
申歲庚寅庚申歲丙寅丙申歲太陰司天則丑未之
紀也丁丑丁未歲癸丑癸未歲己丑己未歲乙丑乙
未歲辛丑辛未歲少陰司天則子午之紀也壬子壬
午歲戊子戊午歲甲子甲午歲庚子庚午歲丙子丙
午歲厥陰司天則巳亥之紀也丁巳丁亥歲癸巳癸
亥歲己巳己亥歲乙巳乙亥歲辛巳辛亥歲此六十
年中六氣各司十歲之謂△毎十歲一司天文中云
初終正者按六元正紀大論如太陽司天壬辰壬戌
歲曰太角初正少徵太宮少商太羽終戊辰戊戌歲曰
太徵少宮太商少羽終少角初甲辰甲戌歲曰太宮
少商太羽終太角初少徵庚辰庚戌歲曰太商少羽

終少角初太徵少宮丙辰丙戌歲曰太羽終太角初少徵太宮少商又如厥陰司天丁巳丁亥歲曰少角正初太徵少宮太商少羽終癸巳癸亥歲曰少徵太宮少商太羽終太角初己巳己亥歲曰少宮太商少羽終少角初太徵乙巳乙亥歲曰少商太羽終太角初少徵太宮辛巳辛亥歲曰少羽終少角初太徵少宮太商此六元正紀大論次十歲一司天之政其內亦分壬辰壬戌歲等條紀其運其化其變其病之屬其文中每紀五音角下云初羽下云終而木運之年初外復云正者也餘皆倣此今壬辰壬戌歲太角正初少徵太宮少商太羽終張註此本年主客五運之序皆以次相生者也每年四季主運在春屬木必始於角而終於羽故於角下注初字羽下注終字此所以紀主運也客運則隨年干之化如壬年陽木起太角丁年陰木起少角戊年陽火起太徵癸年陰火起少徵各年不同循序主令所以紀客運也然惟丁壬木運之年主客皆起於角故於角音之下復注正字謂氣得四時之正也詳具圖翼二卷主客運圖及五音建

運圖解中後倣此△又戊辰戊戌歳太徴少宮太商少羽終少角初張註初終者紀主運也戊為陽火故起於太徴紀客運也詳義見圖翼二卷五音太少相生及主運客運圖說中後倣此△圖翼曰主運之氣每歳相同故春必始於角而冬則終於羽客運之氣各以本年中運為初運而以次相生也故六元正紀大論列各年運氣如太陽少陽少陰之政子午寅申辰戌之紀三十年運皆起於五太太陰陽明厥陰之政丑未卯酉巳亥之紀三十年運皆起於五少者所以紀客運也又如角下註一初字羽下註一終字所甲乙丙壬癸五年皆以太角為初戊己庚辛丁五年皆以少角為初者所以紀主運也△此者謂初正終

每運各主七十三日零五刻總五運之數則三百六十五日二十五刻共成一歳

此言主運之日數也△圖翼曰每歳三百六十五日二十五刻以五分分之則每運得七十三日零五刻亦與六步之主氣同而皆始於大寒日○零△字彙畸零

九數之零餘也

蓋將當年年干起一歲中通主三百六十五日太運爲主將歲之主運上下因之而名太少五音也若當年是木合自太角而下生之故曰初正太角木生少徵火少徵火生太宮土太宮土生少商金少商金生太羽水則爲終亦以太過不及隨之也若當年少宮爲太運則上下因之少宮土上乃見火故曰太徵太徵火上乃見木故曰少角則主運自少角起故初而至少羽水爲終矣木爲初之運大寒日交火爲二之運春分後十三日交

土為三之運小滿後二十五日交金為四之運大暑後三十七日交水為五之運秋分後四十九日交此乃一歲之主運有太少之異也 此釋六元正紀大論五音太少初終及初正終之義也○將當年年干起△五音之次將應當年運干之五行者起初也○通△通五運也○太運為主將歲之主運上下因之而名太少五音也△太運當年五運也△歲之主運每年主運也△圖翼曰運氣有三曰太運主運客運皆有五音之屬大運者中運也主一歲之氣如甲己之年土運統之之類也主運者四時之常令也如春木屬角夏火屬徵秋金屬商冬水屬羽土寄四季屬宮歲歲相仍者是也△上下以五行相生相次而分上下也△因之者因大運也△莊子齊物論曰因之以曼衍註因之順之也△言太少五音之次以應太運之音為根本將歲之主運分上下上尋相生者下推相生者如甲年起太宮而終於少徵

巳年起少宮而終於太徵五音相生莫不歸太運故
名之太少五音△六元正紀大論馬註太生少少生
太者老變為少少變為老之義△圖翼曰蓋太者屬
陽少者屬陰陰以生陽陽以生陰一動一靜乃成易
道○若當年是木合自太角而下生之故曰初正太
角木生少徵火少徵火生太宮土太宮土生少商金
少商金生太羽水水則為終△此言太過之歲五音太
少相生及壬下木運之年角下云初正之義△木合
木運也木運壬與丁合而化木故為木合此惟謂壬
年△言壬年為太角與主運之所始同氣主運客運
俱自角相次下生故角下曰初曰正謂主運客運俱
始於此氣得四時之正也△少商金生太羽水則為
終言太羽水為主運之終故羽下曰終○亦以太過
不及隨之也△之者謂五音△言太生少少生太者
亦以太過不及隨也△一說言如六元正紀大論辰
戌之紀壬辰壬戌歲以太角為初其次戊辰戊戌歲
以少角為初餘皆同此太過不及更相迎隨之義乃
太少亦以太過不及隨之也○若當年少宮為太運

則上下因之少宮土上乃見火故曰太徵太徵火上
乃見木故曰少角則主運自少角起故初而至少羽
水為終矣△此言不及之歲五音少太相生之義△
少宮者己也△六元正紀大論中少宮土運張註己
為陰土故屬少宮△上下因之主運上下因少宮也
△言己年為陰土運屬少宮為主而上推至初運之
角則其生少宮者太徵也生太徵者少角也是以己
年之主運起少角故少角為初而少宮又下生太商
太商生少羽便少羽為終○木為初之運大寒日交
火為二之運春分後十三日交土為三之運小滿後
二十五日交金為四之運大暑後三十七日交水為
五之運秋分後四十九日交△此言主運所交日數
之率△小滿後二十五日圖翼所謂芒種後第十日
也△大暑後三十七日圖翼所謂處暑後第七日也
△秋分後四十九日圖翼所謂立冬後第四日也
○此乃一歲之主運有太少之異也△結上文
按天元玉冊截法中又有歲之客運行於主運之上與

六氣主客之法同故玉冊曰歲中客運者常以應于前二千為初運甲子辰歲大寒日寅初交亥卯未歲大寒日亥初交寅午戌歲大寒日申初交巳酉丑歲大寒日巳初交此五運相生而終歲度也此言每歲於主運之外亦有每歲之客運也○天元玉冊截法△書名△國史經籍志卷四下子類天文家天元玉冊截法六卷○又有歲之客運行於主運之上與六氣主客之法同△又字對歲之主運△主客主氣客氣也△言客運行於主運之上與客氣居於主氣之上同法○故玉冊曰歲中客運者常以應于前二千為初運△運氣易覽二千作二十日今由此言之大寒先立春十五日今年前十干所二竟客運每年始於此日故曰常以應于前二千為初運與△或說于前二千當年年干之誤也言客運者每年以應當年年干為初運也此說為是△圖

翼曰客運者亦一年五步每步各得七十三日零五刻假如甲己之年為土運甲屬陽土為太宮己屬陰土為少宮故甲年則太宮為初運太生少故少商為二運少又生太故太羽為三運太又生少故少角為四運少又生太故太徵為終運己年則少宮陰土為初運少宮生太商為二運太商生少羽為三運少羽生太角為四運太角生少徵為終運太少互生九十年一主令而竟天干也但主運則必春始於角而冬終於羽客運則以本年中運為初運而以次相生此主運客運之所以有異也○申子辰歳大寒日寅初交亥卯未歳大寒日亥初交寅午戌歳大寒日申初交巳酉丑歳大寒日巳初交△言每年客運所起之日時也九五運交司時日主運客運皆同此惟舉初運不言二運三運四運五運之所起各年五運交司時日詳見圖翼二卷在辨證中卷○此五運相生而終歳度也△五運客運之五運也△言客運則以本年中運為初運而五運以次相生終一年三百六十五日二十五刻也

然於經未見其用以六氣言之則運亦當有主客以行天令蓋五行之運一主其氣豈四而無用不行生化者乎然當年大運乃通主一歲如司天通主上半年之法玄珠指此以謂六元還周言素問隱一音也按天元玉冊截法言五運之客互主一歲則經所載者乃逐年之主運也明當以玉冊為法則其義通玄珠說補註亦不取之

此受上文結主運客運之義也○於經未見其用△經内經△其者指主運客運而言△用下文所謂生化也△圖翼曰六元正紀大論曰夫五運之化或從天氣或逆天氣或從天氣而逆地氣或從地氣而逆天氣或相得或不相得又曰先立其年以明其氣金木水火土運行之數寒暑燥濕風火臨御之紀

則天道可見民病可調此經文明言五運之化有常
數客主之運有逆順也〈按張氏以為本經有明文
劉氏以為六元正紀大論有五音初終而不紀其生
化故曰於經未見其用〇以六氣言之則運亦當有
主客以行天令蓋五行之運一主其氣豈四而無用
不行生化者乎△圖翼曰蓋六氣之有主客而五運
亦有主客六氣之有六步而五運之氣豈一主其歲
而四皆無用不行生化者乎△其氣其歲氣也△生
化運化變病也〇然當年大運乃通主一歲如司天
通主上半年之法△言當年大運為主內有五運乃
通主一歲猶司天為三之氣而通主上半年〇玄珠
指此以謂六元還周言素問隱一音也△此者謂五
音初終△六元正紀之六氣即主氣也△言六元正紀
大論角下云初羽下云終者厥陰風木為初氣太陽
寒水為終氣六氣以五行相生還周之義也然以五
音配六氣則徵當有二謂六氣火有二也六元正紀
大論紀五音徵惟有一而無二者隱一音也〇按天
元玉冊截法言五運之客互主一歲則經所載者乃

逐年之主運也明當以王冊爲法則其義通△五運
之客互主二十歲五運客運與五運主運不離於大運
互主二十歲也△經所載者六元正紀大論所載五音
初終也△其義初終之義㊀玄珠說補註亦不取之
△補註謂新校正也△國史經籍志四之末醫家補
註素問二十四卷林億補注△文獻通考二百二十
二黃帝素問條曰嘉祐中光祿卿林億國子博士高
保衡承詔校正補注△言六元正紀大論五音初終
下王注無解新校正亦無注義凡新校正中多引玄
珠條六元還商之說新校正不
取之所以不取者非其義也

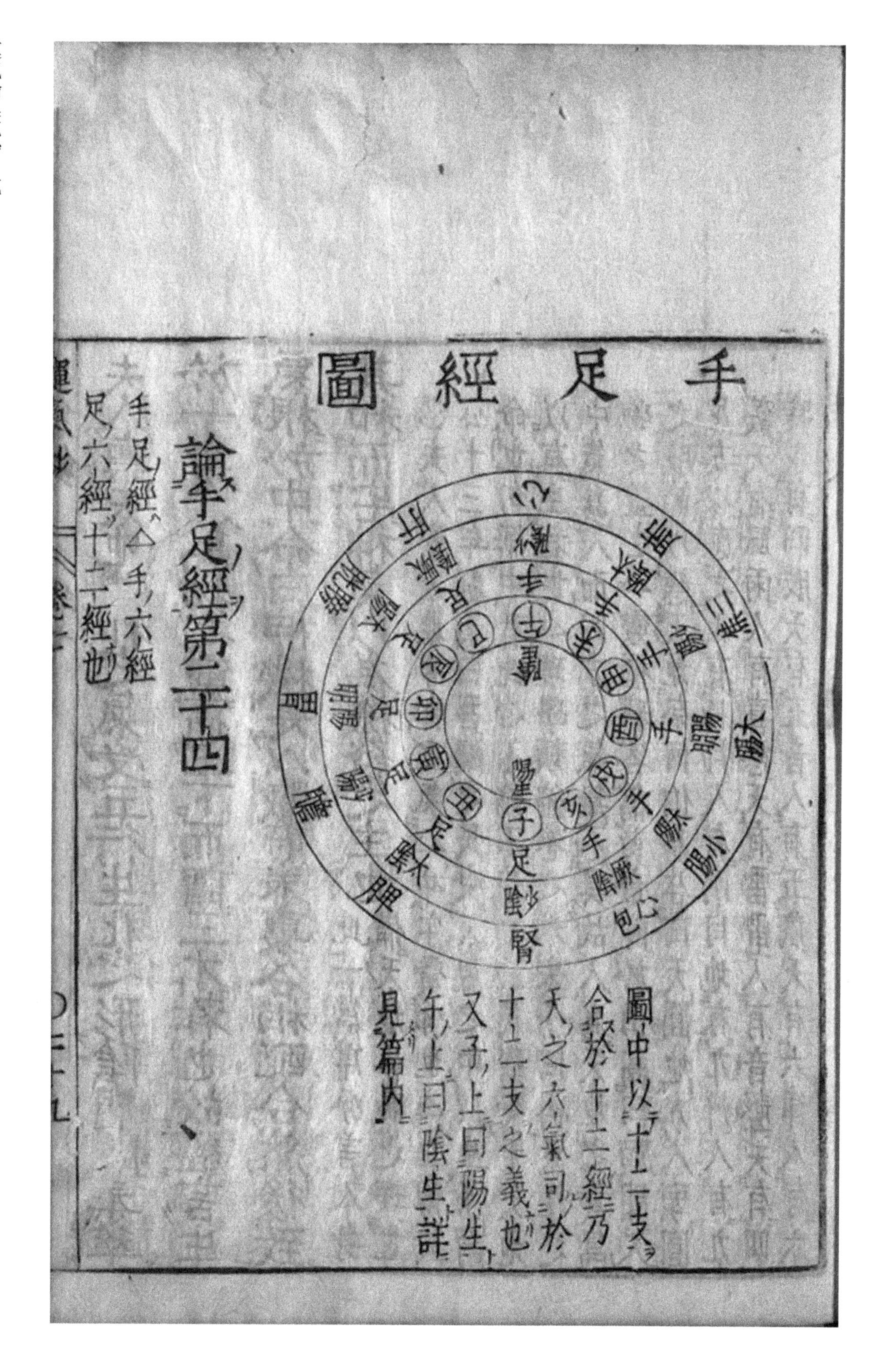

手足經圖

圖中以十二支合於十二經乃天之六氣司於十二支之義也又子上曰陽生午上曰陰生詳見篇內

論手足經第二十四

手足經者手六經足六經十二經也

夫人稟天地沖和之氣受五行生化之形陰陽剛柔萃於一身爲萬物之靈通上下而謂三才者也故經言生氣根於中命曰神機是以藏府表裏各相配合然後致其和而宅神氣以爲機發之主也此一篇序分言人身備天地事物之理也

○夫人稟天地沖和之氣△沖字彙和也△左傳成公十三年劉子曰吾聞之民受天地之中以生所謂命也句解中者此心不偏不倚之理民稟受于天地以有生者也△理學類編卷之六朱子曰得天地之中氣爲人而四方之氣無不具故人爲天地之貴萬物之靈也△靈樞邪客篇黃帝問於伯高曰願聞人之肢節以應天地奈何伯高答曰天圓地方人頭圓足方以應之天有日月人有兩目地有九州人有九竅天有風雨人有喜怒天有雷電人有音聲天有四時人有四肢天有五音人有五藏天有六律人有六

府天有冬夏人有寒熱天有十日人有手十指辰有十二人有足十指莖垂以應之女子不足二節以抱人形天有陰陽人有夫妻歲有三百六十五日人有三百六十節地有高山人有肩膝地有深谷人有腋膕地有十二經水人有十二經脉地有泉脉人有衛氣地有草蓂人有毫毛天有晝夜人有臥起天有列星人有牙齒地有小山人有小節地有山石人有高骨地有林木人有募筋地有聚邑人有䐃肉歲有十二月人有十二節地有四時不生草人有無子此人與天地相應者也○受五行生化之形△見上卷論六化篇△孝經援神契曰五藏像五行○陰陽剛柔萃於一身△皇極經世書觀物外篇上體必交而後生故陽與剛交而生心肺陽與柔交而生肝膽柔與陰交而生腎與膀胱剛與陰交而生脾胃心生目膽生耳脾生鼻腎生口肺生骨肝生肉胃生髓膀胱生血△性理字義曰人受陰陽二氣而生此身莫非陰陽如氣陽血陰脉陽體陰頭陽足陰上體為陽下體為陰至於口之語默目之寤寐鼻息之呼吸手足之

屈伸皆是陰陽外屬○為萬物之靈△書經泰誓上曰惟人萬物之靈蔡註萬物之生惟人得其秀而靈具四端備萬善知覺獨異於物而聖人又得其最秀而最靈者△皇極經世書觀物內篇之二人之所以能靈于萬物者謂其目能收萬物之色耳能收萬物之聲鼻能收萬物之氣口能收萬物之味聲色氣味者萬物之體也目耳鼻口者萬人之用也○通上下而謂三才者也△上下天地也△言人則小天地內外形體其氣無所不通于天地者故人與天地為三才△剪燈新話二卷註三才天地人也以體言則天地以用言則二儀也二儀謂之才才者用之著也故二儀與人謂之三才○經言生氣根於中命曰神機△五常政大論曰根於中者命曰神機神去則機息根於外者命曰氣立氣止則化絕張註物之根於中者以神為之主而其知覺運動即神機之所發也故神去則機亦隨而息矣物之根於外者必假外氣以成立而其生長收藏即氣化之所立也故氣止則化亦隨而絕矣所以動物之神去即死植物之皮剝

即死此其生化之根動植之有異也六微旨大論曰出入廢則神機化滅升降息則氣立孤危故非出入則無以生長壯老已非升降則無以生長化收藏即根於中外之謂△六微旨大論張註凡物之動者血氣之屬也皆生氣根於身之中以神為生死之主故曰神機○藏府表裏各相配合△素問調經論曰五藏者故得六府與為表裏張註藏府相為表裏故為十二經△血氣形志篇曰足太陽與少陰為表裏少陽與厥陰為表裏陽明與太陰為表裏是為足陰陽也手太陽與少陰為表裏少陽與心主為表裏陽明與太陰為表裏是為手之陰陽也張註足太陽膀胱也足少陰腎也是為一合足少陽膽也足厥陰肝也是為二合足陽明胃也足太陰脾也是為三合陽為府經行於足之外側陰為藏經行於足之內側此足之表裏也手太陽小腸也手少陰心也是為四合手少陽三焦也手心主厥陰也是為五合手陽明大腸也手太陰肺也是為六合陽為府經行於手之外側陰為藏經行於手之內側此手之表裏也○致其和

△其者猶藏府而言△中庸曰致中和天地位焉萬物育焉章句致推而極之也△此和字非中庸所謂中和之和爲和合和平者△言藏府極乎其治也○宅神氣△皇極經世書觀物外篇上曰氣者神之宅也體者氣之宅也△史記太史公自序曰凡人所生者神也所託者形也△譚子化書曰形爲神之宮神爲形之容○以爲機發之主也△機發神氣發動也即謂知覺運動△主主人公△難經三十四難曰五藏有七神各何所藏耶然藏者人之神氣所舍藏也故肝藏魂肺藏魄心藏神脾藏意與智腎藏精與志也

非見於黄帝岐伯精微之論則莫能知之唯聖爲能踐形者誠哉妙言也故經曰上古聖人論理人形列別藏府端絡經脈會通六合又曰五藏十二節皆通乎天氣

者論手足經三陰三陽也非見於黃帝岐伯精微之論則莫能知之△言人身藏府表裏等義詳見內經黃帝岐伯至精至微之論說故非見於黃帝岐伯精微之論則莫能知之○唯聖爲能踐形者誠哉妙言也△唯聖爲能踐形取孟子之意△孟子盡心上孟子曰形色天性也惟聖人然後可以踐形集註人之有形有色無不各有自然之理所謂天性也踐如踐言之踐蓋衆人有是形而不能盡其理故無以踐其形惟聖人有是形而又能盡其理然後可以踐其形而無歉也　大全龜山楊氏曰莫非形也自聖人言之目之所視耳之所聽以至口之所言身之所動不待著意莫不合則所謂動容周旋中禮者也未至於聖則未免有克焉若孔子告顏淵非禮勿視等語是也故惟聖人然後可以踐形　又朱子曰形是耳目口鼻之類色如一顰一笑皆有至理　蒙引踐形猶云實其形謂不虛之也以能盡其形之理也　又曰形各有性非空形也若未能充其性則於形之分有虧非踐形也△誠哉妙言也賛美孟

子之語也△論語子路篇曰誠哉是言也△莊子秋
水篇曰且知不知論極妙之言○故經曰上古聖
人論理人形列別藏府端絡經脉會通六合△此引
經言聖人能知人形之理以應孟子之語也△經家
問陰陽應象大論△論理人形馬註如靈樞骨度脉
度等篇張註論理講求也△列別藏府馬註如靈樞
經水腸胃海論等篇張註列別分辨也△端絡經脉
馬註如靈樞經脉等篇張註端言經脉之發端絡言
支脉之横絡△端本作揣令從經文改之揣字彙楚
委切度也試也量也除也揣摩也又度高下曰揣△
會通六合馬註如靈樞經別篇有六合張註兩經交
至謂之會他經相貫謂之通十二經之表裏謂之六
合○又曰五藏十二節皆通乎天氣△又曰素問生
氣通天論△張本乎作於△生氣通天論黄帝曰夫
自古通天者生之本本於陰陽天地之間六合之内
其氣九州九竅五藏十二節皆通於天氣張註人之
外有九竅陽竅七陰竅二也内有五藏心肺肝脾腎
也天有四時十二節氣候之所行也人有四肢十二

經營衛之所通也凡物之形而外者爲儀象之流行
藏而内者爲精神之升降幽明動靜孰匪由天故曰
皆通於天氣○手足經三陰三陽△手經三陰一陽
足經三陰三陽即十二經也△者字以下十二字繹
前所引陰陽應象大論及
生氣通天論文之大意也

其十二經外循身形内貫藏府以應十二月即十二節
也五藏爲陰六府爲陽一陰一陽乃爲一合即六合也

此重明六合十二節之義○其十二經外循身形内
貫藏府△靈樞海論曰夫十二經脉者内屬於府藏
外絡於肢節○以應十二月△靈樞五亂篇曰經脉
十二者以應十二月△素問陰陽別論曰十二月應
十二脉馬註十二月春建寅卯辰夏建巳午未秋建
申酉戌冬建亥子丑應十二脉者春應肝膽夏應心
與小腸秋應肺與大腸冬應腎與膀胱而辰戌丑未
之月則合四經而兼之脾與胃也○即十二節也△

言十二經應十二月故曰十二節△寶命全形論曰
天有陰陽人有十二節王注節謂節氣外所以應十
二月内所以主十二經脉也張註天有六陰六陽人
亦有六陰六陽皆相應也○五藏爲陰六府爲陽△
靈樞壽夭剛柔篇曰内有陰陽外亦有陰陽在内者
五藏爲陰六府爲陽在外者筋骨爲陰皮膚爲陽△
終始篇曰五藏爲陰六府爲陽△素問金匱眞言論
曰言人身之藏府中陰陽則藏者爲陰府者爲陽肝
心脾肺腎五藏皆爲陰膽胃大腸小腸膀胱三焦六
府皆爲陽張註五藏屬裏藏精氣而不瀉故爲陰六
府屬表傳化物而不藏故爲陽○一陰一陽乃爲一
合即六合也△言藏與府一陰一陽爲表裏故其經
脉相爲一合十二經爲六合也△陰陽應象大論王
注六合謂十二經脉之合也靈樞經曰太陰陽明爲
一合少陰太陽爲一合厥陰少陽爲一合手足之脉
各三則爲六合也△十二經六合之義詳見靈樞經
別篇今
略之

夫少陰之經主心與腎二藏者蓋心屬火而少陰冬脉
其本在腎又君火正司於午對化於子是以腎藏亦少
陰主之腎非全水右屬命門火五藏爲陰不可言陽水
隨腎至故太陽爲府則手太陽小腸足太陽膀胱也　此下

三節言三陰三陽主於藏府而此一節言少陰太陽
之本至也○少陰之經主心與腎二藏△手少陰心
足少陰腎少陰主心與腎二藏也○心屬火而少陰
△言心屬火故心爲少陰君火爲少陰故也△君火
爲少陰之義見論標本篇△金匱眞言論曰南方赤
色入通於心張註南爲火王之方心爲屬火之藏其
氣相通赤者火之色△難經四十難曰火者心○冬
脉其本在腎△素問水熱穴論黃帝問曰少陰何以
主腎腎何以主水岐伯對曰腎者至陰也至陰者盛
水也肺者太陰也少陰者冬脉也故其本在腎其末

在肺皆積水也張註腎應北方之氣其藏居下故曰至陰也水王於冬而腎主之故曰盛水也肺為手太陰經其藏屬金腎為足少陰經其藏屬水少陰脉從腎上貫肝膈入肺中所以腎邪上逆則水客於肺故凡病水者其本在腎其末在肺亦以金水相生母子同氣故皆能積水○又君火正司於午對化於子△言又以六氣言之則子午之歲司天少陰君火主之午為正化子為對化然腎子心午也○是以腎藏亦少陰主之△是以二字受參脉其本在腎及對化於子之句△亦字應心屬火而少陰○腎非全水右屬命門火△難經三十六難曰腎兩者非皆腎也其左者為腎右者為命門△修真捷徑卷之二曰腎有二精所舍也以腎為事元氣屬焉形如豇豆相並而曲附於脊膂外有脂裹裏白外紫有系二道上系於心下連於腎遍而為二所謂坎南離北水火相感腎雖有二其一曰命門與臍相對△腎有二左屬水右屬火之義見論生成數篇△洪範大全屬者管屬之謂○五藏為陰不可言陽△言腎雖為水藏左右非皆

水也其右為命門屬火火陽也然五藏為陰故腎則不可謂陽所以為少陰也○水隨腎至△金匱眞言論曰北方黒色入通於腎開竅於二陰藏精於腎故病在谿其味鹹其類水△陰陽應象大論曰北方生寒寒生水水生鹹鹹生腎△逆調論曰腎者水藏主津液○故太陽為府則手太陽小腸足太陽膀胱也△言水隨腎至水居北方子位當一陽來復之初陽亦是火之源故手少陰以手少陽為府足少陰以足太陽為府則手太陽小腸足太陽膀胱也

太陰之經主脾與肺二藏者蓋脾屬土而太陰陰脉在肺又土生金子隨母居故肺太陰主之金隨肺至故陽明為府則手陽明大腸足陽明胃也

此一節言太陰陽明所主之藏府也

○太陰之經主脾與肺二藏△手太陰肺足太陰脾太陰主脾與肺二藏也○脾屬土而太陰△言脾屬

土故脾為太陰主曰太陰故也△土為太陰之義見論標本篇△金匱真言論曰中央黄色入通於脾張註土王四季位居中央脾為屬土之藏其氣相通○陰脉在肺△水熱穴論所謂肺者太陰也少陰者冬脉也故其本在腎其末在肺之意見前○又土生金子隨母居△言又以五行相生言之土生金故土之子金隨母土居乃金居土中也○故肺太陰主之△土為太陰土生金子隨母居故肺金亦為太陰○金隨肺至△金匱真言論曰西方白色入通於肺開竅於鼻藏精於肺故病在背其味辛其類金△陰陽應象大論曰西方生燥燥生金金生辛辛生肺△難經四十難曰肺者西方金也○故陽明為府則手陽明太腸足陽明胃也△言金隨肺至金必待陽而後發又為土之子土金同氣故手太陰以手陽明為府足太陰以足陽明為府手陽明大腸足陽明胃也

厥陰之經主肝與心包絡二藏者蓋肝屬木又木生火

子隨母居故心包厥陰主之火隨心包而至故少陽爲府則手少陽三焦足少陽膽也此一節言厥陰少陽所主之藏府也○厥陰之經主肝與心包二藏△手厥陰心包絡足厥陰肝厥陰主肝與心包絡二藏也○肝屬木△依上文心屬火而少陰脾屬土而太陰之例木字下當有而厥陰三字△言肝屬木故肝爲厥陰木屬厥陰故也△木屬厥陰之義見論標本篇○又木生火子隨母居△言又以五行相生言之木生火故木之子火隨母木居乃火居木中也○故心包厥陰主之△木爲厥陰木生火子隨母居故心包絡亦爲厥陰心包絡相火也○火隨心包而至△十四經發揮曰心包一名手心主以藏象校之在心下横膜之上竪膜之下與横膜相粘而黄脂漫裹者心也其漫脂之外有細筋膜如絲與心肺相連者心包也或問手厥陰經曰心主又曰心包絡何也曰君火以名相火以位手厥陰代君火行事以用而言故曰手心主以經而言則曰心

包絡一經而二名實相火也△附翼三卷末正錄曰三焦爲藏府之外衛心包絡爲君主之外衛猶夫帝闕之重城故皆屬陽均稱相火○故少陽爲府則手少陽三焦足少陽膽也△言火隨心包而至火木之所生肝木亦有火故手厥陰以手少陽爲府足厥陰以足少陽爲府手少陽三焦足少陽膽也

其手足經者乃手經之脉自兩手起足經之脉自兩足起以十二辰言之蓋陰生於午陰上生故曰手經陽生於子陽下生故曰足經手足經所以紀上下也又心肺心包在上屬手經肝脾腎在下屬足經亦其意也此言手經足經之義○乃手經之脉自兩手起足經之脉自兩足起△起字有終而始之意△言手三陰之所終及手三陽之所始在手故曰手經之脉自兩手起又足三陽之所終及足三陰之所始在足故曰足經之脉

自兩足起△靈樞逆順肥瘦篇曰手之三陰從藏走手手之三陽從手走頭足之三陽從頭走足足之三陰從足走腹張註手之三陰從藏走手者太陰肺經從藏出中府而走大指之少商少陰心經從藏出極泉而走小指之少衝厥陰心主經從藏出天池而走中指之中衝也手之三陽從手走頭者陽明大腸經從次指商陽而走頭之迎香太陽小腸經從小指少澤而走頭之聽宮少陽三焦經從名指關衝而走頭之絲竹空也足之三陽從頭走足者太陽膀胱經從頭之睛明而走足小指之至陰陽明胃經從頭之承泣而走足次指之厲兌少陽膽經從頭之瞳子髎而走足四指之竅陰也足之三陰從足走腹者太陰脾經從大指隱白走腹而上於大包少陰腎經從足心湧泉走腹而上於俞府厥陰肝經從足大指大敦而走腹之期門也○以十二辰言之蓋陰生於午陰上生故曰手經陽生於子陽下生故曰足經△言如前所圖以十二支配於十二經言手經足經之義則陰生於午極於亥陰中陽上行故以自午至於亥六經

為手經蓋手在上而經脉起于此也陽生於子極於巳陽中陰下行故以自子至於巳六經為足經蓋足在下而經脉起于此也△愚按溫舒以六氣司天之義作此說今考之兩經中靈樞陰陽繫日月篇說足經以應十二月手經以應十日素問太陰陽明論等篇有足之三陰其氣皆上行足之三陽其氣皆下行之義其意似近之而實有相悖者今拔出經文以便參閱△陰陽繫日月篇曰寅者正月之生陽也主左足之少陽未者六月主右足之少陽卯者二月主左足之太陽午者五月主右足之太陽辰者三月主左足之陽明巳者四月主右足之陽明此兩陽合於前故曰陽明申者七月之生陰也主右足之少陰丑者十二月主左足之少陰酉者八月主右足之太陰子者十一月主左足之太陰戌者九月主右足之厥陰亥者十月主左足之厥陰此兩陰交盡故曰厥陰張註此言十二支爲陰足亦爲陰故足經以應十二月也蓋一歲之中以上半年爲陽故合於足之六陽下半年爲陰故合於足之六陰人之兩足亦右陰陽

之分則左爲陽右爲陰以上下半年之陰陽而合於
人之兩足則正二三爲陽中之陽陽之進也故正月
謂之生陽陽先於左而後於右故正月主左足之少
陽二月主左足之太陽三月主左足之陽明四五六
爲陽中之陰陽漸退陰漸生也故四月主右足之陽
明二月主右足之太陽六月主右足之少陽然則一
歲之陽會於上半年之辰巳兩月是爲兩陽合於前
故曰陽明陽明者言陽盛之極也七八九爲陰中之
陰陰之進也故七月謂之生陰陰先於右而後於左
故七月主右足之少陰八月主右足之太陰九月主
右足之厥陰十月十一十二月爲陰中之陽陰漸退
陽漸生也故十月主左足之厥陰十一月主左足之
太陰十二月主左足之少陰然則一歲之陰會於下
半年之戌亥兩月是爲兩陰交盡故曰厥陰厥者盡
也陰極於是也此總計一歲陰陽之盛衰故正與六
合二與五合三與四合而陽明合於前也七與十二
合八與十一合九與十合而厥陰合於後也非如六
氣厥陰主風木陽明主燥金者之謂甲主左手之少

陽巳主右手之少陽乙主左手之太陽戊主右手之
太陽丙主左手之陽明丁主右手之陽明此兩火并
合故為陽明庚主右手之少陰癸主左手之少陰辛
主右手之太陰壬主左手之太陰此言十干為陽毛
亦為陽故手經以應十日也十月之中居前者木火
土為陽居後者金水為陰陽以應陽經陰以應陰經
亦如足之與月也故甲主左手之少陽乙主左手之
太陽丙主左手之陽明巳主右手之少陽戊主右手
之太陽丁主右手之陽明十干之火在於丙丁此兩
火并合故為陽明也自巳以後則庚辛壬癸俱金水
為陰故庚主右手之少陰辛主右手之太陰癸主左
手之少陰壬主左手之太陰緣足言厥陰而手不言
者蓋足以藏言藏氣有六手以腑言腑惟五行而已
且手厥陰者心包絡也其藏附心故不言耳△素問
太陰陽明論曰陰氣從足上行至頭而下行循臂至
指端陽氣從手上行至頭而下行至足張註逆順肥
瘦篇曰手之三陰從藏走手手之三陽從手走頭足
之三陽從頭走足足之三陰從足走腹卽此之謂蓋

陰氣在下下者必升陽氣在上上者必降△逆調論
曰足三陽者下行張註足之三陽其氣皆下行足之
三陰其氣皆上行亦天氣下降地氣上升之義△又
纂䟽集曰天之氣為陽陽必降地之氣為陰陰必升
故人身手足三陽自手而頭自頭而足手足三陰自
足而腹自腹而至手此陽降而陰升明矣○
手足經所以紀上下也又心肺心包在上屬手經肝
脾腎在下屬足經亦其意也△又字當在手足經之
上△其者指手足經所以紀上下也文△陰陽繫日
月篇曰其於五藏也心為陽中之太陽肺為陽中之
少陰肝為陰中之少陽脾為陰中之至陰腎為陰中
之太陰張註五藏以心肺為陽故居膈上而屬手經
肝脾腎為陰故居膈下而屬足經△本輸篇曰六府
皆出足之三陽上合於手者也張註凡五藏六府之
經藏皆屬陰府皆屬陽雖六府皆屬三陽然各有手
足之分故足有太陽膀胱經則手有太陽小腸經足
有陽明胃經則手有陽明大腸經足有少陽膽經則
手有少陽三焦經此所謂上合於手者也不惟六府

六藏亦然如足有太陰脾經則手有太陰肺經足有少陰腎經則手有少陰心經足有厥陰肝經則手有厥陰心主此藏府陰陽手足皆相半也然其所以分手足者以經行有上下故手經之腧在手足經之腧在足也△醫學入門卷之一曰經徑也徑直者爲經經之支派旁出者爲絡界爲十二實出一脉△難經難補注經者徑也逓相溉灌無所不通△同本義謂之經者以榮衛之流行經常不息者而言

藏府同爲手足經乃一合也心包非藏也三焦非府也經曰膻中者臣使之官喜樂出焉在胸主兩乳間爲氣之海然心主爲君三焦者決瀆之官水道出焉三焦有名無形上合於手心主下合右腎主謁道諸氣名爲使者共爲十二經此因難經二十五難以言十二經之有十二也○藏府同爲手足經乃一合也

心包非藏也三焦非府也△言五藏六府一表一裏同為手經同為足經各有所合然五藏六府九十一而六十二經者併心包絡言心包絡與三焦為表裏心包絡非正藏三焦非正府故配之為表裏也△二十五難曰有十二經五藏六府十一耳其一經者何等經也然一經者手少陰與心主別脉也心主與三焦為表裏俱有名而無形故言經有十二也本義此篇問答謂五藏六府配手足之陰陽俱十二經耳其一經者則以手少陰與心主各別為一脉心主與三焦為表裏俱有名而無形以此一經并五藏六府共十二經也〇經曰膻中者臣使之官喜樂出焉在胸主兩乳間為氣之海然心主為君三焦者決瀆之官水道出焉△此引經以明心包絡三焦之職分△經素問靈蘭秘典論△膻中者臣使之官喜樂出焉靈蘭秘典論之全文也△張註膻中在上焦亦名上氣海為宗氣所積之處主奉行君相之令而布施氣化故為臣使之官行鍼篇曰多陽者多喜多陰者多怒膻中為二陽藏所居故喜樂出焉按十二經表裏

有心包絡而無膻中心包之位正居膈上為心之護衛脹論曰膻中者心主之宮城也正合心包臣使之義意者其即指此歟△在胸主兩乳間為氣之海非靈蘭秘典論之文△在胸主兩乳間難經之説△難經三十一難曰上焦者在心下下膈在胃上口主内而不出其治在膻中玉堂下一寸六分直兩乳間陷者是△明堂灸經曰膻中一穴在兩乳間陷者中△為氣之海靈樞之文△靈樞海論曰膻中者為氣之海張註膻中胸中也肺之所居諸氣者皆屬於肺是為眞氣亦曰宗氣宗氣積於胸中出於喉嚨以貫心脉而行呼吸故膻中為之氣海◎心主為君△靈蘭秘典論曰心者君主之官也神明出焉張註心為一身之君主禀虛靈而含造化具一理以應萬幾藏府百骸惟所是命聰明智慧莫不由之故曰神明出焉△靈樞口問篇曰心者五藏六府之主也△五癃津液別篇曰五藏六府心為之主耳為之聽目為之候肺為之相肝為之將脾為之衛腎為之主外張註心總五藏六府為精神之主故耳目肺肝脾腎皆聽命

於心是以耳之聽目之視無不由乎心也肺朝百脈而主治節故爲心之相肝主謀慮決斷故爲心之將脾主肌肉而護養藏府故爲心之衛腎主骨而成立其形體故爲心之主外也◯三焦者決瀆之官水道出焉△靈蘭秘典論之文也△張註決通也瀆水道也上焦不治則水泛高原中焦不治則水留中脘下焦不治則水亂二便三焦氣治則脈絡通而水道利故曰決瀆之官◯三焦有名無形上合於手心主下合右腎主謁道諸氣名爲使者△金匱眞言論王注正理論曰三焦者有名無形上合於手心主下合右腎主謁道諸氣名爲使者也△有名無形出難經二十五難△永正錄曰夫三焦者五藏六府之總司包絡者少陰君主之護衛也而二十五難曰心主與三焦爲表裏俱有名而無形若謂表裏則是謂無形則非夫名從形立若果有名無形則內經之言爲鑿空矣其奈叔和啓玄而下悉皆宗之而直曰三焦無狀空有名自二子不能辨此後孰能再辨及至徐遁陳無擇始創言三焦之形云有脂膜如掌大正與膀胱

椎數有二白脈自中出夾脊而上貫於腦予因編考
兩經在靈樞本輸篇曰三焦者中瀆之府水道出焉
屬膀胱是孤之府也本藏篇曰密理厚皮者三焦膀
胱厚麤理薄皮者三焦膀胱薄以及緩急直結六者
各有所分論勇篇曰勇士者目深以固長衡直揚三
焦理横怯士者目大而不減陰陽相失其焦理縱決
氣篇曰上焦開發宣五穀味熏膚充身澤毛若霧露
之溉是謂氣中焦受氣取汁變化而赤是謂血營衛
生會篇曰營出於中焦衛出於下焦又曰上焦出於
胃上口並咽以上貫膈而布胸中中焦亦並胃中出
上焦之後泌糟粕蒸津液化精微而為血以奉生身
故獨得行於經隧命曰營氣下焦者別迴腸注於膀
胱而滲入焉水穀者居於胃中成糟粕下大腸而成
下焦又曰上焦如霧中焦如漚下焦如瀆素問王藏
別論曰夫胃大腸小腸三焦膀胱此五者天氣之所
生也其氣象天故瀉而不藏六節藏象論曰脾胃大
腸小腸三焦膀胱者倉廩之本營之居也其在心包
絡則靈樞邪客篇曰心者五藏六府之大主其藏堅

固邪弗能容容之則心傷心傷則神去神去則死矣
故諸邪之在於心者皆在於心之包絡凡此是皆經
旨夫既曰無形矣何以有水道之出又何以有厚薄
緩急直結之分又何以有曰縱曰横之理又何以加
霧如漚如瀆及謂氣謂血之別心主亦曰無形矣則
代心而受邪者在於心之包絡使無其形又當受之
何所即此經文有無可見夫難經者為發明內經之
難故曰難經而難經實出於內經今內經詳其名狀
難經言其無形將從難經之無乎抑從內經之有乎
再若徐陳二子所言三焦之狀指為腎下之脂膜果
若其然則何以名為三又何以分為上中下又何以
言其為府此之為說不知何所考據更屬不經客曰
心之包絡於文於義猶為可曉而古今諸賢歷指其
為裹心之膜固無疑矣至若三焦者今既曰有形又
非徐陳之論然則果為何物耶曰但以字義求之則
得之矣夫所謂三者象三才也際上極下之謂也所
謂焦者象火類也色赤屬陽之謂也今夫人之一身
外自皮毛內自藏府無巨無名無細無目其於腔腹

周圍上下全體狀若太囊者果何物耶且其若內干
層形色最赤象如六合總護諸陽是非三焦而何如
五癃津液別論曰三焦出氣以溫肌肉充皮膚固已
顯然指爲肌肉之內藏府之外爲三焦也又如背腧
篇曰肺腧在三焦之間心腧在五焦之間膈腧在七
焦之間肝腧在九焦之間脾腧在十一焦之間腎腧
在十四焦之間豈非以軀體稱焦乎惟虞天民曰三
焦者指腔子而言總曰三焦其體有脂膜在腔子之
內包羅乎五藏六府之外也此說近之第亦未明焦
字之義而脂膜之說未免又添一層矣△上合於手
心主言其爲表裏也△素問血氣形志篇曰少陽與
心主爲表裏張註手少陽三焦也手心主厥陰也△
末正錄曰至其相配表裏則三焦爲藏府之外衛心
包絡爲君主之外衛猶夫帝闕之重城故皆屬陽均
稱相火而其脉絡原自相通允爲表裏靈樞經脉篇
曰心主手厥陰之脉出屬心包絡下膈歷絡三焦手
少陽之脉散絡心包合心主素問血氣形志篇曰手
少陽與心主爲表裏此固甚明無庸辨也△下合右

腎若腎命門也△二十五難本義曰諸家所以紛紛不決者蓋有惑于金匱眞言篇王注引正理論謂三焦者有名無形上合手心主下合右腎遂有命門三焦表裏之說夫人之藏府一陰一陽自有定耦豈有一經兩配之理哉夫所謂上合手心主者正言其爲表裏下合右腎者則以三焦爲原氣之別使而言之爾知此則知命門與腎通三焦無兩配而諸家之言可不辨而自明矣△未正錄客曰既三焦心主爲表裏何以復有命門三焦表裏之說曰三焦包絡爲表裏此內經一陰一陽之定耦初無命門表裏之說亦無命門之名唯靈樞根結衛氣及素問陰陽離合等篇云太陽根於至陰結於命門命門者目也此蓋指太陽經穴終於睛明睛明所夾之處是爲腦心乃至命之處故曰命門此外並無左右腎之分亦無右腎爲命門之說而命門之始亦起於三十六難曰腎有兩者非皆腎也左者爲腎右者爲命門命門者精神之所舍原氣之所繫男子以藏精女子以繫胞王叔和遂因之而曰腎與命門俱出尺部以致後世遂有

命門表裏之配而内經實所無也客曰内經既無命門難經何以有之而命門之解終當何似曰難經諸篇皆出内經而此命門或必有據意者去古既遠經文不無脫悞誠有如七難滑氏之註云者滑氏註七難曰首篇稱經言二字攷之靈素無所見豈越人之時別有所謂上古文字耶將内經有之而後世脫簡耶是未可知也唯是右腎爲命門男子以藏精則左腎將藏何物乎女子以繫胞則胞果何如而獨繫右腎乎此所以不能無疑也予因歷考諸書見黄庭經曰上有黄庭下關元後有幽闕前命門又曰閉塞命門似玉都又曰冊由之中精氣微玉房之中神門戶梁丘子註曰男以藏精女以約血故曰門戶又曰關元之中男子藏精之所元陽子曰命門者下冊由精氣出飛之處也是皆醫家所未言而實足爲斯發明者又脉經曰腎以膀胱合爲府合於下焦在關元後左爲腎右爲子戶又曰腎名胞門子戶尺中腎脉也此言右爲子戶者仍是右者爲命門之說細詳諸言默有以會夫所謂子戶者即子宮也即下房之中也

俗名子腸居直腸之前膀胱之後當關元氣海之間男精女血皆存乎此而子由是生故子宮者實又男女之通稱也道家以先天眞一之氣藏乎此爲九還七返之基故名之曰丹田醫家以衝任之脈盛於此則月事以時下故名之曰血室葉文叔曰人受生之初在胞胎之内隨母呼吸受氣而成及乎生下一點元靈之氣聚於臍下自爲呼吸氣之呼接乎天根氣之吸接乎地根凡人之生唯氣爲先故又名爲氣海然而名雖不同而實則一子宮耳子宮之下有一門其在女者可以手探而得俗人名爲産門其在男者於精泄之時自有關闌知覺請問此爲何處容曰得非此即命門耶曰然也請爲再悉其解夫身形未生之初父母交會之際男之施由此門而出女之攝由此門而入及胎元既足復由此出其出其入皆由此門謂非先天立命之門戸乎及乎既生則三焦精氣皆藏乎此故金丹大要曰氣聚則精盈精盈則氣盛梁丘子曰人生係命於精珠玉集曰水是三才之祖精爲元氣之根然則精去則氣去氣去則命去其固

其夫皆由此門謂非後天立命之門戶乎再閱四十四難有七衝門者皆指出入之處而言故凡出入之所皆謂之門而此一門者最為巨會焉得無名此非命門更屬何所既知此處為命門則男之藏精女之繫胞皆有歸着而千古之疑可頓釋矣客曰若夫然則命門既非右腎而又曰子宮是又別為一府矣何配何經脈居何部曰十二經之表裏陰陽固已配定若以命門而再配一經是腎藏唯一而經居其兩必無是理且夫命門者子宮之門戶也子宮者腎藏藏精之府也腎藏者主先天真一之氣北門鎖鑰之司也而其所以為鎖鑰者正賴命門之閉固蓄坎中之真陽以為一身生化之原也此命門與腎本同一氣道經謂此當上下左右之中其位象極名為丹田夫丹者奇也故統於北方天一之藏而其外腧命門一穴正見督脈十四椎中是命門原屬於腎非又別為一府也三十九難亦曰命門其氣與腎通則亦不離乎腎耳△按靈樞三焦合腎之義有之合治腎之說無之△靈樞本藏篇曰腎合三焦膀胱△本輸篇曰

少陽屬腎腎上連肺故將兩藏張註少陽三焦也三焦之正脉指天散於胸中而腎脉亦上連於肺三焦之下腧屬於膀胱而膀胱爲腎之合故三焦亦屬乎腎也然三焦爲中瀆之府膀胱爲津液之府腎以水藏而領水府理之當然故腎得兼將兩藏將領也兩藏府亦可以言藏也本藏篇曰腎合三焦膀胱其義即此△又本輸篇曰三焦者中瀆之府也水道出焉屬膀胱是孤之府也張註惟三焦者雖爲水瀆之府而實總護諸陽亦稱相火是又水中之火府故在本篇曰三焦屬膀胱在血氣形志篇曰少陽與心主爲表裏蓋其在下者爲陰屬膀胱而合腎水在上者爲陽合包絡而通心火此三焦之所以際上極下象同六合而無所不包也觀本篇六府之別極爲明顯以其皆有盛貯因名爲府而三焦者曰中瀆之府是孤之府分明確有一府蓋即藏府之外軀體之内包羅諸藏一腔之大府也故有中瀆是孤之名而亦有大府之形難經謂其有名無形誠一失也是蓋譬之探囊以試物而忘其囊之爲物耶遂致後世紛紛無所

憑據有分為前後三焦者有言為腎傍之脂者即如東垣之明亦以手三焦足三焦分而為二夫以三焦尚云其無形而諸論不一又何三焦之多也盡此添足愈多愈失矣後世之疑將焉釋哉△謂字纂泊也訪也請見也告也△禮記曲禮下問士之子長曰能典謁矣幼曰未能典謁也集說謁請也典謁者主賓客告請之事士賤無臣下自典告也△謹按順德院御記謁讀多以梅武乃對而之意也△道論語為政篇道之以政集註道猶引導謂先之也△謁道猶案內謁道諸氣者三焦案內元氣榮衛之屬諸氣運于一身之中也△素問跡五過論張註愚按氣有外氣天地之六氣也有內氣人身之元氣也氣失其和則為邪氣氣得其和則為正氣亦曰真氣但真氣所在其義有三曰上中下也上者所受於天以通呼吸者也中者生於水穀以養榮衛者也下者氣化於精藏於命門以為三焦之根本者也故上有氣海曰膻中也其治在膻中有水穀氣血之海曰中氣也其治在脾胃下有氣海曰丹田也其治在腎人之所賴

惟此氣耳氣聚則生氣散則死△名爲使者言名三
焦爲元氣之別使猶元氣之臣下使者然△難經三
十八難曰所以府有六者謂三焦也有原氣之別焉
主持諸氣本義三焦主持諸氣爲原氣別使者以原
氣賴其導引潛行默運于一身之中無或間斷也許
林人有腎間動氣即原氣也三焦合於右腎爲原氣
之別使焉腎爲原氣之正三焦爲原氣之別以見均
爲重也△六十六難曰三焦者原氣之別使也主通
行三氣經歷於五藏六府丁註爲臣使之官宣行榮
衛本義通行三氣即紀氏所謂下焦稟眞元之氣即
原氣也上達至於中焦中焦受水穀精悍之氣化爲
榮衛榮衛之氣與眞元之氣通行達於上焦也○共
爲十二經△五藏五府及
心包三焦共爲十二經也

是以經曰陰陽者數之可十推之可百數之可千推之
可萬萬之大不可勝數然其要一也雖不可勝數然其

要妙以離合推步悉可知之此承上文而言天地陰陽之數無窮而人身必應之也○經△素問陰陽離合論○陰陽者數之可十推之可百數之可千推之可萬萬之大不可勝數然其要一也△陰陽離合論黃帝問曰余聞天為陽地為陰日為陽月為陰大小月三百六十日成一歲人亦應之今三陰三陽不應陰陽其故何也張註此言天地之陰陽無不合於人者如上為陽下為陰前為陽後為陰皆其理也然而三陰三陽其亦有不相應者故疑以為問【馬註】帝問天為陽地為陰而一歲之中十日象陽二月象陰月有大小積至三百六十日以成一歲而人亦應之今人手有三陰三陽足有三陰三陽亦當與天地之陰陽相應而茲有不應者何也岐伯對曰陰陽者數之可十推之可百數之可千推之可萬萬之大不可勝數然其要一也謂陰陽之道合之則一散之則十百千萬亦無非陰陽之變化故於顯微大小象體無窮無不有理存焉然變化雖多其要則一即理而已是以人之三陰三陽亦豈

不應乎天地者哉△五運行大論曰夫陰陽者數之
可十推之可百數之可千推之可萬張註陰陽之道
或本陽而標陰或内陽而外陰或此陽而彼陰或先
陽而後陰故小之而十百大之而千萬無非陰陽之
變化天覆地載萬物方生未出地者命曰陰處名曰
陰中之陰天覆地載館陰陽之上下也凡萬物方生
者未出乎地處陰之中故曰陰處以陰形而居陰分
故又曰陰中之陰也則出地者名曰陰中之陽形成
於陰而出於陽故曰陰中之陽陽予之正陰爲之主
陽正其氣萬化乃生陰主其質萬形乃成易曰乾知
大始坤作成物大抵陽先陰後陽施陰受陽之輕清
未形陰之重濁有質即此之謂○予與同故生因春
長因夏收因秋藏因冬失常則天地四塞四時陰陽
先後有序若失其常則天地四塞矣四塞者陰陽不
隔不相通也○長上聲塞入聲陰陽之變其在人者
亦數之可數凡如上文者皆天地陰陽之變也其在
於人則亦有陰中之陽陽中之陰上下表裏氣數皆
然知其數則無不可數矣數推測也○數字上者去

帝下者上聲○雖不可勝數然其要妙以離合推歩悉可知之△上所引陰陽離合論王注之文也△王注云謂離合也雖不可勝數然其要妙以離合推歩悉可知之△言陰經陽經之氣運動流傳雖不可勝數然其數之可數要妙有離合之數而已乃分陰中之陰陰中之陽以爲表裏離合按經推歩悉可知之△陰陽離合論帝曰願聞三陰三陽之離合也 張註分而言之謂之離陰陽各有其經也并而言之謂之合表裏同歸一氣也岐伯曰聖人南面而立前曰廣明後曰太衝云聖人者崇人道之太宗也南面而立者正陰陽之向背也廣大也南方者丙丁之位天陽在南故曰處之人陽亦在南故亦嚮處之易曰相見乎離即廣明之謂且人身前後經脉任脉循腹裏至咽喉上頤循面入目衝脉循背裏出頏顙其輸上在於大杼分言之則任行乎前而會於陽明衝行乎後而爲十二經脉之海故前曰廣明後曰太衝合言之則任衝名位雖異而同出一原通乎表裏此腹背陰陽之離合也 太衝之地名曰少陰少陰之上名曰太

陽太陽根起於至陰結於命門名曰陰中之陽衛脉
並少陰而行故太衝之地爲少陰地者次也有少陰
之裏則有太陽之表陰氣在下陽氣在上故少陰經
起於小指之下太陽經止於小指之側故曰少陰之
上名太陽也太陽之脉起於目止於足下者爲根上
者爲結故曰根於至陰結於命門命門者目也此以
太陽而合於少陰故爲陰中之陽然離則陰陽各其
經合則表裏同其氣是爲水藏陰陽之離合也下放
此中身而上名曰廣明廣明之下名曰太陰太陰之
前名曰陽明陽明根起於厲兊名曰陰中之陽中身
身之中半也中身而上心之所居心屬火而通神明
故亦曰廣明心藏之下太陰脾也故廣明之下名曰
太陰太陰之表陽明胃也故太陰之前名曰陽明陽
明脉止於足之次指與太陰爲表裏故曰根起於厲
兊爲陰中之陽此土藏陰陽之離合也　厥陰之表名
曰少陽少陽根起於竅陰名曰陰中之少陽少陽與
厥陰爲表裏而少陽止於足之小指次指端故厥陰
之表爲陰中之少陽也所謂少者以厥陰氣盡陰盡

而陽始故曰少陽此本藏陰陽之離合也是故三陽之離合也太陽爲開陽明爲闔少陽爲樞此總三陽爲言也太陽爲開謂陽氣發於外爲三陽之表也陽明爲闔謂陽氣畜於內爲三陽之裏也少陽爲樞謂陽氣在表裏之間可出可入如樞機也然開闔樞者有上下中之分亦如上文出地未出地之義而合乎天地之氣也三經者不得相失也摶而勿浮命曰一陽三經者言陽經也陽從陽類不得相失也其爲脉也雖三陽各有其體然陽脉多浮若純於浮則爲病矣故但欲摶手有力得其陽和之象而勿至過浮是爲三陽合上之道故命曰一陽此三陽脉之離合也帝曰願聞三陰岐伯曰外者爲陽內者爲陰然則中爲陰外者爲陽言表也內者爲陰言裏也然則中爲陰總言屬裏者爲三陰如下文也其衝在下名曰太陰太陰根起於隱白名曰陰中之陰其衝在下名曰太陰以太陰居衝脉之上也上文曰廣明之下名曰太陰廣明以心爲言衝脉並腎爲言蓋心脾腎三藏心在南脾在中腎在北也凡此三陽三陰皆首言衝

脉者以衝為十二經脉之海故先及之以擧其綱領也太陰起於足大指故根於隱白以太陰而居陰分故曰陰中之陰此下三陰表裏離合之義俱如前三陽經下後倣此　太陰之後名曰少陰少陰根起於涌泉名曰陰中之少陰脚下之後腎之位也故太陰之後名曰少陰少陰脉起小指之下斜趨足心故根於涌泉穴腎水少陰而居陰分故為陰中之少陰少陰之前名曰厥陰厥陰根起於大敦陰之絶陽名曰陰之絶陰腎前之上肝之位也故曰少陰之前名曰厥陰厥陰起於足大指故根於大敦厥盡也絶亦盡也此陰極之經故曰陰之絶陽又曰陰之絶陰是故三陰之離合也太陰為開厥陰為闔少陰為樞此總三陰為言亦有内外之分也太陰為開居陰分之表也厥陰為闔居陰分之裏也少陰為樞居陰分之中也開者主出闔者主入樞者主出入之間亦與三陽之義同三經者不得相失也摶而勿沉名曰一陰三經皆陰陰脉皆沉不得相失也若過於沉則為病矣故但宜沉摶有神各得其陰脉中和之體是為三陰合

之道故名曰一陰也三陰脉之離合也陰陽鍾鍾
積傳爲一周氣裏形表而爲相成也鍾鍾一云作衝衝
言陰陽之氣運動無已也積傳爲一周言諸經流傳
相續晝夜五十營而爲一周也然形以氣而成氣以
形而聚故氣運於裏形立於表交相爲用此則陰陽
表裏離合相成之道也○愚按本篇所言惟足經陰
陽而不及手經者何也觀上文云天覆地載萬物方
生未出地者命曰陰處名曰陰中之陰則出地者名
曰陰中之陽蓋言萬物之氣皆自地而升也而人之
腰以上爲天腰以下爲地言足則通身上下經氣皆
盡而手在其中矣故不必言手也然足爲陰故於三
陽也言陰中之陽三陰也言陰中之陰然則手經亦
有離合其在陽經當爲陽中之陽其
在陰經當爲陽中之陰可類推矣

運氣論奧疏鈔卷之七終

特1
87

特1
87